DOS DÍAS DE MAYO

JORDI SIERRA I FABRA

DOS DÍAS DE MAYO

PLAZA JANÉS

El papel utilizado para la impresión de este libro ha sido fabricado a partir de madera procedente de bosques y plantaciones gestionadas con los más altos estándares ambientales, lo que garantiza una explotación de los recursos sostenible con el medio ambiente y beneficiosa para las personas.

Por este motivo, Greenpeace acredita que este libro cumple con los requisitos ambientales y sociales necesarios para ser considerado un libro «amigo de los bosques». El proyecto Libros Amigos de los Bosques promueve la conservación y el uso sostenible de los bosques, en especial de los bosques primarios, los últimos bosques vírgenes del planeta.

Papel certificado por el Forest Stewardship Council®

Primera edición: marzo, 2013

© 2013, Jordi Sierra i Fabra
© 2013, Random House Mondadori, S.A.
    Travessera de Gràcia, 47-49. 08021 Barcelona

Printed in Spain – Impreso en España

ISBN: 978-84-01-35369-7
Depósito legal: B-1.047-2013

Compuesto en Comptex & Ass., S. L.

Impreso en Liberdúplex.
Sant Llorenç d'Hortons (Barcelona)

L 3 5 3 6 9 7

A Francesc Gómez y Margarita Cruells,
por todo

Día 1

Lunes, 30 de mayo de 1949

1

Despertar solo en la cama, después de acostumbrarse a hacerlo de nuevo acompañado, era extraño.

Inquietante.

Cuando sus ojos recién abiertos se habituaron a la penumbra, movió la mano por el espacio que ocupaba Patro, a su izquierda. Si se levantaba antes que él, la huella de su cuerpo seguía impresa en las sábanas. Huella y calor. La almohada solía estar hecha un guiñapo, porque ella la estrujaba con las manos cuando daba vueltas en mitad de algún sueño.

Ahora la sábana estaba fría, no había ninguna huella y la almohada de una pieza, tal cual.

Miquel Mascarell sonrió cansinamente.

La primera separación.

La primera desde que vivían juntos y la primera desde el día de la boda.

No quiso mirar aquel espacio vacío y se puso boca arriba. No eran más que cuatro días. Le quedaban dos, y únicamente una noche. Aunque tarde, Patro regresaba al día siguiente.

La sonrisa se hizo mayor, y también el tono de nostalgia.

Sí, Patro solía levantarse casi siempre la primera, pero no sin antes seguir su ritual, tan niña, tan mujer: acariciarlo, besarlo, jugar con sus pies, cabalgar una pierna sobre su abdomen, susurrar en su oído, desearle los buenos días, apoyar la cabeza en su hombro y acurrucarse unos minutos a su lado, rodeada por sus brazos, hiciera frío o calor.

La compañía era eso.

Él entonces tocaba aquella piel desnuda; siempre desnuda, aun en invierno.

La piel de la vida.

—¿Y hoy qué? —se preguntó en voz alta.

La respuesta era simple.

Nada.

Un puro ocio envuelto en soledad.

Podía quedarse en la cama, perezosamente, o levantarse y no salir de casa, poner la radio, leer, tratar de seguir escribiendo sus recuerdos. Había muchas formas de aburrirse sin Patro. Si el primer día, el sábado, resultó horrible, el domingo había sido bastante peor.

—Lunes —murmuró sin entusiasmo.

A Patro no le gustaría que se quedara en la cama, ni siquiera en casa, melancólico.

Se incorporó con gestos medidos, para no sentir los pinchazos en las piernas, y se puso en pie resoplando por el dichoso esfuerzo. A sus años, hacer el amor le liberaba, le proporcionaba vitalidad y energía, entusiasmo y optimismo. El cansancio de no hacer nada era mayor y más duro.

A veces incluso le hacía volver atrás.

Y reaparecían los fantasmas del pasado.

¿Cuánto quedaba del viejo resistente que había sobrevivido a la pena de muerte y a las cárceles franquistas?

Caminó hasta el lavadero, abrió el grifo y se inclinó sobre el hueco para lavarse el torso, especialmente las axilas. Ya hacía calor, pero se arrepintió de no haber calentado un poco de agua en una olla. El frío le hizo tiritar unos segundos. Se secó y fue a vestirse. No se puso corbata. Dejó el cuello de la camisa abierto. Un lujo. Poco elegante, pero un lujo. Como mucho iría a desayunar al bar de Ramón, así estiraría las piernas.

—Hala, a cumplir. Un paseo no te vendrá mal —se dio ánimos a sí mismo.

Cogió la chaqueta, se la puso y bajó la escalera sin prisa, peldaño a peldaño. La portera estaba al pie del cañón, en su acristalada garita. Levantó la cabeza de su eterna labor pero sus manos no dejaron ni por un instante de mover las agujas de la calceta a toda velocidad. Toda su familia, la que fuera y donde estuviera, debía de lucir cosas hechas por ella. O eso o tenía un negocio clandestino.

—Buenos días, señora Gabriela.

—Buenos días, señor Mascarell.

Señor Mascarell.

Había ganado enteros en la escalera. Ya no era «el hombre que vivía con la chica del tercero».

Amancebados.

Ahora eran marido y mujer. La Iglesia así lo había determinado.

La primera vez que, sin contar funerales o celebraciones ajenas, pisaba una en más de treinta años, desde el bautizo de Roger.

Salió a la calle y dirigió tranquilamente sus pasos al bar de Ramón. Nada más cruzar el umbral se encontró con él.

—¡Buenos días, maestro! —le saludó al verle—. Hoy ha madrugado.

Ya había desistido de que no le llamara maestro.

—Buenos días.

—¿Calorcito ya, eh? En dos días, verano-veranito.

—No corras tanto. —Se sentó a su mesa, o por lo menos su favorita, que estaba milagrosamente vacía.

—¿Y la señora?

La señora.

Gabriela le llamaba «señor» y Ramón «señora» a Patro.

Todavía no se había acostumbrado a tanto.

A veces tenía que mirar el anillo, en el dedo anular de su mano izquierda.

—Ha ido con su hermana a Tortosa, a ver a una prima lejana que no anda bien de salud.

—¿Muchos días?

—Regresa mañana por la noche.

—Así que solito, vaya, vaya.

—Ya ves.

—No se me ponga a hacer el crápula.

—Ramón... —Le atravesó con una mirada asesina.

—Que era broma, hombre —dijo, y gesticuló lleno de energía—. Teniendo usted una mujer tan guapa... Va, ¿qué le pongo, lo de siempre?

—Sí.

—Hoy la tortilla le ha salido a mi parienta...

—Venga, va.

—¿Y de ayer qué me dice? ¿Tenía yo razón o no?

Era lunes. Los lunes tocaba hablar de fútbol. Le gustase o no, Ramón le daba el parte. El día anterior se había jugado la final de la Copa del Generalísimo. Ni siquiera sabía quién había ganado.

—Dijiste que ganaría...

—¡El Valencia! Por la mínima, pero... Esta vez el Bilbao no tenía nada que hacer, aunque fueran de favoritos y los chés de víctimas. Si es que basta con sumar dos y dos, hombre. La pena es que nos eliminaran, porque de haberla jugado el Barça hubiera sido distinto, seguro.

—Por supuesto.

—No se puede ganar siempre. Ya ve, nos llevamos la liga otra vez, que estaba cantado. Conseguir la copa habría sido demasiado. Hay que dejar algo a los demás.

—Completamente de acuerdo. —Siempre optaba por el pragmatismo—. ¿Me traes lo mío y luego me lo cuentas?

—¡Cómo es, maestro! —Se puso brazos en jarras y dio media vuelta.

Maestro.

Sólo le llamaba «señor Miquel» cuando le preguntaba algo en serio.

Esperó tranquilamente. A través de los ventanales y los reclamos escritos en ellos con pintura blanca, anunciando tapas y bocadillos, vio la calle con su trajín de coches y las personas que caminaban de un lado a otro, siempre con prisas. El signo de los nuevos tiempos eran las prisas. Al día le faltaban horas. La guerra había acabado hacía diez años y cuatro meses y era como si nadie se acordara de ella.

Al menos de puertas afuera.

Por dentro, cada cual llevaba su procesión.

¿Qué harían Patro y él cuando se terminara el dinero de julio del 47, el que se llevó inesperadamente de la casa de Rodrigo Casamajor tras su muerte?

Podían hacerlo durar algunos años más, viviendo siempre sin alardes, con discreción, pero no eternamente.

¿Por qué se sentía deprimido?

«Volverá mañana, burro», se dijo a sí mismo.

¿Tan solo se sentía?

¿Por qué no se había ido con ellas?

—No seas tonto, ¿para qué vas a cansarte con el viaje? —le había dicho Patro—. Si encima llegamos y ya se ha muerto... Tú aquí tranquilo, que yo me las apaño.

—¿Y si has de quedarte más días?

—Lo hará mi hermana. Yo me vuelvo. Ya lo hemos hablado.

Ramón reapareció con una generosa ración de tortilla de patatas y su café. La gente con cartillas de racionamiento y él desayunando tortilla de patatas. Miles de republicanos todavía en el Valle de los Caídos trabajando como esclavos y él libre y feliz por un azar del destino y por mantener intactas sus dotes de viejo policía.

Pura supervivencia.

—Luego le paso el periódico, que lo tiene aquel señor —le dijo el dueño del bar.

El periódico era *El Mundo Deportivo*, ningún otro. Para la información general, el primer día de la semana todo el mundo debía contentarse con *La Hoja del Lunes*.

—No hay prisa. —Fue más que sincero.

No se quedó hablando con él. Regresó a la barra. Pudo desayunar tranquilo y en paz, sin dejar de remover sus pensamientos sin ton ni son. En la cárcel, a la espera de que lo fusilaran, y en el Valle de los Caídos, mientras trabajaba durante aquellos ocho años y medio, pudo vivir con la mente en blanco y sus imaginarias conversaciones con Quimeta. Ahora Quimeta llevaba meses sin aparecer en sus pensamientos, y de nuevo sentía el miedo habitual de los seres humanos ante la vida. El que nada tiene, nada teme. Pero el que tiene...

Tener a Patro significaba la máxima riqueza.

Paz, amor, ¿qué más podía pedirse?

Una democracia, sí, y la muerte del dictador. Pero ésa era otra historia.

España daba vueltas en círculos desde los días de los Reyes Católicos: guerras, dictaduras, reyes engendrando hijos idiotas con primas, tías y medio hermanas, la Iglesia, el perpetuo anclaje en el pasado, los militares, más guerras, más curas, más incultura...

—Tiene mala cara. —Ramón pasó por su lado—. Ya se lo diré a la señora, ya.

Una esposa joven y guapa.

El quid de la cuestión.

No quería que Ramón volviese y le explicase el partido con pelos y señales. No jugaba el Barcelona, pero seguro que lo había oído por la radio. Una final era una final. El bar parecía cada vez más un museo de los éxitos del Barça. Fotografías de los futbolistas, algunas incluso dedicadas, carteles anunciando partidos importantes, banderines, portadas de periódicos enmarcadas, como la de *El Mundo Deportivo* del lunes 18 de abril por la última liga, ganada el día anterior.

Buscó el importe extrayendo las monedas del bolsillo de su chaqueta.

Y cuando volvió a levantar la vista se lo encontró parado delante.

Era un chico de unos dieciséis o diecisiete años, alto, seco, desgarbado, puro hueso, cabello muy corto, nariz aguileña, ojos saltones, orejas de soplillo, una nuez enorme en mitad del cuello. No supo si darle una moneda o preguntarle, porque su aspecto era el de la viva desolación.

—¿El señor Mascarell?

—Soy yo.

—Me ha dicho la portera de su casa que lo encontraría aquí.

—Pues sí, aquí estoy.

La nuez subió y bajó.

—Me manda María Galvany.

Esta vez el repetitivo fue él.

—¿María?

—Sí, sí, señor.

Miquel tuvo un estremecimiento.

Nadie manda a buscar a una persona para decirle que todo va bien.

El muchacho se lo confirmó.

—Es por su padre, el señor Mateo. —Su tono se revistió de dolor—. Murió, ¿sabe usted? Lo atropelló un coche y...

Mateo Galvany.

Muerto.

Puede que desde el primer momento ya supiera que aquél sería un día asqueroso.

Acababa de confirmarlo.

2

La entrada del Hospital Clínico por la calle Villarroel siempre estaba llena de gente. Por un lado, los que salían y se entretenían hablando de lo que acababan de ver u oír, aliviados o tristes; por el otro, los que se disponían a entrar y aguardaban a los rezagados haciendo comentarios cargados de preocupación ante lo que se iban a encontrar. Las muestras de dolor se mezclaban con las de tensa calma. Allí, la esperanza era un bien común, el único que mantenía en pie a la mayoría.

Miquel miró el viejo edificio y recordó la última vez que había estado en él.

Enero de 1939, resolviendo su último caso antes de que las tropas de Franco entraran en la ciudad y la guerra terminase.

También hacía siete meses que no tomaba un taxi, desde octubre del año anterior, cuando buscaba la tumba de aquel chico muerto en las primeras horas del Alzamiento.

Siete meses.

Y todo tan distinto...

Patro, Roger, su hermano...

—¿Qué le debo?

El taxista no dijo nada. Le señaló el contador.

Miquel le entregó cinco pesetas y esperó el cambio. No le dio propina. Si uno ahorraba en saliva, él ahorraba en dinero. Dejó que el chico bajara primero y luego lo hizo él.

Se llamaba Pere.

No había sido muy hablador. Que María se lo contaría todo. Que a él sólo le había mandado para que lo llevara o le dejara recado a quien fuera. Que era vecino de los Galvany y tanto Mateo como María le querían mucho. Que...

Un chico reservado.

Así que, durante el trayecto en taxi, poco más habían hablado. La última vez que había visto a Mateo, casualmente, también fue en octubre del año anterior. Incluso hizo memoria: el día 11. De manera casual, mientras buscaba aquella tumba que le hizo abrir los ojos en torno a su propio futuro, pasó por delante de la casa de Mateo, en Sants, y subió a verle.

De manera casual.

Quizá ahora no lo fuese tanto.

Tantos años siendo policía le recordaban que las casualidades no existían. Si aquel día no hubiera subido a su casa, ahora no estaría allí, porque ni Mateo ni su hija hubieran sabido que seguía vivo.

Caminó como un autómata siguiendo a Pere, que haciendo gala de su juventud había puesto la dinamo y sorteaba a cuantos se le pusieran por delante en su avance hacia su destino. Hubo un momento en que tuvo que decirle:

—Oye, afloja. No creo que Mateo vaya a moverse.

El chico no entendió su macabro humor.

Él tampoco.

Solía pasarle siempre ante la muerte. Su mejor defensa era reírse. Lo de contar chistes en los entierros era por el miedo de los vivos ante el hecho de que todos, tarde o temprano, pasarían por lo mismo y ocuparían la maldita caja en el último viaje. No le hubiera importado morir al hacerlo Quimeta, o en el maldito Valle de los Caídos. Ahora sí. Ahora que finalmente estaba en paz consigo mismo, sí.

Llegaron a su destino. Pere entró en una sala con baldosas blancas, asépticas, frías. No era lo mismo tener el cuerpo en unas pompas fúnebres, habilitadas para la ocasión, que hacerlo en un hospital.

¿Y por qué en un hospital?

¿Acaso no había muerto al instante en el momento del atropello?

No se lo preguntó a Pere en el trayecto en taxi y ya era demasiado tarde para ello. Por entre las escasas personas que poblaban la sala en silencio vio a María.

Cuando ella le reconoció, fue a su encuentro y le abrazó sin decir una palabra. Sólo el abrazo, fuerte, cargado de un singular alivio. Miquel no tuvo más remedio que corresponderle, cerrando sus propios brazos en torno a la espalda de la mujer. Patro estaba muy delgada y su cuerpo tenía la flexibilidad de su juventud. María por contra era recia, fornida, así que el contacto le resultó extrañamente desagradable.

Recordó las palabras de su padre aquel 11 de octubre del año pasado:

—María es viuda, quizá podrías arreglarte con ella.

Arreglarse.

Más mitades en busca de una esperanza.

—Miquel...

Las lágrimas le mojaron el cuello. Puso una mano en su nuca y se la acarició. El cabello era hirsuto. La piel áspera. Sintió una inesperada pena por ella. La viuda de un rojo en la España de Franco era una mujer marcada. Mateo acababa de morir con setenta y seis años. Su hija tenía cuarenta y ocho.

Recordó más palabras de Mateo aquel día:

—No queda nadie, Miquel. Nadie.

Sólo ellos.

Su anterior jefe, el hombre que le salvó la vida, jubilado en el año 35 después de que la bala disparada por aquel imbécil le dejara cojo y le cortara la carrera en seco, impidiéndole llegar a comisario.

Y ahora tampoco estaba él.

—Lo siento, María.

Su comentario hizo que ella llorara todavía más y se le aferrara como si temiera soltarle y caer.

Miquel no supo qué hacer.

Siguió quieto.

Quieto hasta que la hija de su amigo aflojó la presión, sorbió los mocos con aparatosidad y se relajó gradualmente.

Cuando se separó se miraron el uno al otro.

—¿Estás bien? —preguntó él aun sabiendo que era la pregunta más estúpida del mundo.

María se encogió de hombros. Con los ojos enrojecidos, el desarreglo y la carne del rostro flácida, como la de una esponja, parecía tener muchos más años. Su madre había sido una mujer de carácter, alta, con mucha presencia. Ella, por contra, era igual que su padre, incluso en lo anímico.

—Todo ha sido... tan rápido —fueron sus primeras palabras.

—¿Cuándo sucedió?

—Ayer.

—¿Por qué no has mandado por mí hasta esta mañana?

Se encogió de hombros por segunda vez.

—Ayer estaba... No sé, como ida. No podía pensar en nada. Hoy no es que esté mejor, pero al menos puedo centrarme un poco.

—¿Dónde está?

—Por ahí. —Movió la cabeza hacia una puerta situada al fondo de la sala.

—¿Puedo verle?

—No, no dejan. Además, quedó muy mal.

—Entiendo. —Tragó saliva—. ¿Por qué no está en un tanatorio?

—La policía lo trajo aquí.

—¿La policía?

—Te lo contaré después.

—De acuerdo.

Alguien la llamó. Una mujer. Se separó de su lado y Miquel se quedó finalmente solo. El resto de las personas presentes no le quitaba ahora el ojo de encima. Hombres y mujeres de la vecindad y poco más, porque Mateo ya no tenía familia. El que menos rondaba los cincuenta. Salvo Pere. El chico se mantenía apartado de los demás, apoyado en la pared. Una mancha oscura en el fondo blanco.

Tuvo ganas de salir corriendo.

Llenó los pulmones de aire y buscó la manera de tranquilizarse. En octubre del año pasado le dio a Mateo quinientas pesetas, como si fuera rico, y le prometió volver con comida, hacer una cena.

No lo hizo.

Mateo y María eran el pasado.

Y no quería llevar a Patro allí.

Ahora era tarde.

Caminó hasta Pere y le pasó un brazo por encima de los hombros. El chico levantó la cabeza y le sonrió. Daba la impresión de ser un perrillo desvalido.

—¿Le apreciabas?

—Sí.

—¿Vives en su misma escalera?

—Sí, abajo, con mi tía.

—¿Y tus padres?

—Mi padre murió en el frente. Mi madre al acabar la guerra, enferma.

No se imaginó a Mateo haciendo de padre de un vecino, aunque sí tomándole cariño. Para el muchacho su pérdida era mucho más triste.

—¿Estudias?

—No, no señor. Trabajo. Y hoy no he avisado. Se me va a caer el pelo.

—Diles lo que ha pasado.

—¿Por un vecino? A uno no le dieron permiso ni para ir al entierro de su abuela.

—Deberías estudiar.

—¿Para qué? Cuando pueda me iré, ¿sabe usted? Este país es una mierda, señor.

—No digas eso en voz alta o acabarás en la cárcel, hijo. Y menos a desconocidos. —Paseó una mirada alarmada a su alrededor.

—El señor Mateo me habló de usted. Sé quién es. No soy tonto.

—¿Te habló de mí?

—Decía que era el mejor policía de Barcelona, con un olfato y una cla... clarivi... claviri...

—Clarividencia.

—Eso. —No intentó repetir la palabra—. Decía que cuando tomaba un caso no lo soltaba hasta el final, y que era paciente y seguía todas las pistas y tenía esto muy bien engrasado. —Se tocó la cabeza con el dedo índice de la mano derecha—. Me contaba historias de cuando eran inspectores, antes de la guerra, los buenos tiempos.

Los buenos tiempos.

Un chico de dieciséis o diecisiete años hablaba de «los buenos tiempos».

—¿Qué edad tienes?

—Cumplo dieciocho la semana que viene.

—Has dicho antes que María me lo contaría todo. ¿Qué es lo que ha de contarme?

La mirada se le llenó de dolor.

Miedo.

—Mejor ella —dijo.

No siguieron hablando. De pronto la comitiva se puso en marcha. Bajaron una escalera y llegaron a una pequeña, pequeñísima capilla. Las escasas personas se repartieron por la media docena de bancos. Se miraron entre sí, sobre todo un hombre de traje oscuro. Delante se quedó María, sola. Él se puso en el tercero, con Pere. El ataúd no podía ser más sencillo. Madera de la más barata. Claro que a Mateo eso ya le daba igual.

Lo que no le hubiera dado igual fue lo que siguió.

Una ceremonia católica para un republicano irredento.

Miquel miró la caja como si esperase un temblor o un grito procedente de su interior.

Mateo protestando, gruñón, como siempre.

Ni morir en paz se podía en una dictadura.

—Nuestro hermano Mateo Galvany Pedrosa... —comenzó a hablar el sacerdote convirtiendo la «ny» de Galvany en una terminación fonética castellana, remarcando las dos letras, en lugar de la catalana en forma de «ñ»— nos ha dejado para pasar a una vida mejor al lado del Señor...

Miquel trató de no seguir escuchando.

Si «el Señor» tenía a Mateo a su lado, acabaría hasta los huevos de él.

O eso o se hacía comunista.

Casi llegó a sonreír.

Con un Dios comunista, a Franco, la reserva espiritual de Occidente, le daba un soponcio.

El panegírico del sacerdote no fue muy largo. Una letanía y unos rezos. O le habían dicho a quién enterraba y era piadoso pero de la línea dura, o tenía otras cosas que hacer. Bendijo el ataúd y despidió el duelo con palabras de consuelo para María. Una vez completado el ritual, ella le buscó con la mirada y fue a su encuentro. Miquel cruzó los brazos a la altura del pecho instintivamente.

—¿Puedo pedirte un favor?

—Claro.

—Hay un coche de acompañamiento y...

—Iré contigo, no te preocupes. No voy a dejarte ir sola.

—He de hablarte de... —Reaparecieron las lágrimas y la

emoción en sus ojos mientras le ponía las dos manos en los brazos y se los presionaba.

Miquel notó su temblor.

—Vamos. —Intentó caminar para que no se desmoronara.

No lo consiguió.

María se vino abajo.

—Le asesinaron —dijo de forma entrecortada—. Le asesinaron y... no sé por qué... —Las lágrimas resbalaron en tropel por sus mejillas—. Papá ya no era más que un anciano, Miquel. ¿Por qué habían de matarle? ¿Por qué?

3

No pudieron seguir hablando. La súbita explosión de María se quedó simplemente en eso: un primer intento de contarle algo, lo que fuera que la atormentaba y la razón principal por la que había enviado a Pere a buscarle. Tuvieron que seguir al resto y, ya en la puerta del Clínico, completar paso a paso el protocolo final: la despedida del duelo, ver cómo el ataúd era colocado en el coche fúnebre y, a continuación, sentarse ellos en la parte de atrás del vehículo de acompañamiento. El chófer, un hombre enteco, con el traje arrugado y una gorra que le venía un poco grande, les observó por el espejo interior.

Tampoco era cuestión de hablar allí.

Miquel se resignó.

Y acabó poniendo una de sus manos sobre las de ella, para darle ánimos y compartir su dolor.

—Tranquila.

—En casa, ¿de acuerdo?

—Sí.

—Gracias.

La miró a los ojos. Eran los de una mujer prematuramente anciana. Más aún: vencida y llena de miedo. Ya no le quedaba nada. Un marido muerto en la guerra, una madre muerta en el 43 y ahora un padre... ¿asesinado?

No tenía sentido.

Ella misma lo había dicho: ¿por qué?

Mateo Galvany no era más que un anciano.

El breve cortejo fúnebre formado por los dos coches rodó a velocidad reducida por las calles de Barcelona. Primero Villarroel abajo. Después buscando la montaña de Montjuïc. El mismo trayecto que en el 39 hizo con Quimeta. Al día siguiente le detuvieron. Cuando entraron en el cementerio y, tras cumplimentar el papeleo final en la administración, subieron por las calles rodeadas de mausoleos, tumbas y nichos, tragó saliva. Quimeta estaba muy cerca.

Pero ya no oía su voz en su mente.

Se había ido de manera definitiva.

—¿Tu mujer está aquí? —le preguntó María como si leyera sus pensamientos.

No, su mujer estaba en Tortosa, con su hermana.

—Quimeta sí. —Suspiró.

—Ya casi no la recuerdo —dijo ella.

—La última vez que nos vimos todos fue antes de la guerra.

—Sí —asintió.

Al pronunciar la palabra «guerra» el conductor volvió a mirarles.

Los adictos al régimen seguían empleando el término «cruzada».

Les gustaba más.

Llegaron al lugar del entierro. Un bloque lleno de nichos, de arriba abajo y de lado a lado. Algunos tenían lápidas. Algunos tenían flores. La mayoría no. La mayoría consistía en un simple cuadrado tapado con una losa de piedra y, como mucho, una inscripción, «Familia Tal», «Familia Cual» o el nombre de una persona. Las fechas eran abundantes, pero parecía como si en la última década una epidemia se hubiera extendido por la ciudad.

El proceso fue lento, exasperante. Por lo menos el nicho estaba en la parte de abajo, en la segunda fila, y no hubo que trabajar en las alturas. Bajo un sol ya achicharrante los operarios quitaron la losa puesta por última vez en el año 43, al morir la mujer de Mateo, y convirtieron los restos de aquel ataúd y su contenido en una masa de madera informe que aplastaron al colocar la nueva caja. Ver lo que quedaba de su madre hizo que María se sintiera más triste y desolada. Miquel no tuvo más remedio que sostenerla, pasándole un brazo por encima de los hombros. Estaban solos. Ellos y los operarios. Los conductores del coche fúnebre y el de acompañamiento aguardaban en la calle. Una vez sellada la losa con cemento, María se acercó y le puso una mano encima.

La última despedida.

Miquel la oyó decir algo mientras los obreros esperaban que les cayeran algunas pesetas. Cuando comprendieron que la cosa estaba demasiado magra se resignaron, dieron el pésame y se marcharon cabizbajos.

Hora de irse.

A María le costó rendirse a la evidencia de que todo había pasado. Miquel no hizo nada, no le dijo nada, no tiró de ella. El sol caía a plomo sin siquiera una nube dispuesta a darles una tregua. Finalmente la mujer retrocedió y se enfrentó a su acompañante.

—Qué triste, ¿no?

—Sí.

Caminaron hasta los coches. El que había llevado el ataúd se marchaba. El suyo les llevaría a casa, como mandaban los cánones. Volvieron a ocupar sus puestos y María le dio al hombre de la gorra su dirección en Sants.

Ya no hablaron en todo el trayecto.

Y María no volvió a llorar hasta el momento de abrir la puerta de su casa.

—¿Qué voy a hacer ahora? —gimió con desaliento.

—Seguir, como todos.

—Mi marido, mamá, ahora él... No es justo, Miquel. No es justo, maldita sea.

—Ven.

La acompañó al comedor y la galería. Todo estaba igual que siete meses antes, el sillón, la mesa, las sillas... Recordó a Mateo Galvany allí, con sus aparatosas gafas, el bastón de caña de color claro, la bata vieja. Lo recordó como si la escena se hubiera producido el día anterior. María se quedó en una silla y él fue a la cocina a por dos vasos de agua. Dejó el grifo abierto unos segundos, para que saliera más fresca. Una vez llenos regresó con la hija de su amigo y ex compañero policial. Ella continuaba paralizada, las lágrimas mojando su cara, la expresión ausente. Miquel le puso un vaso en la mano.

—Bebe.

Le obedeció y él hizo lo mismo después de sentarse en otra de las sillas.

Se quedó con sed, pero no quiso volver a dejarla sola.

«Quizá podrías arreglarte con ella.»

—Cuéntame eso, María.

Cruzaron sus miradas. Como si tuviera el aire retenido en sus pulmones, la mujer soltó una bocanada larga y tensa. Bebió un segundo sorbo y dejó el vaso en la mesa.

—¿Por qué dices que le mataron? —la ayudó Miquel.

—Porque el conductor se dio a la fuga.

—Tuvo pánico.

—No. Fue a por él.

—¿Cómo estás tan segura? ¿Hubo testigos?

—Sucedió algo. —Le miró con fijeza y ya no apartó la intensidad de su mirada—. Ignoro qué pueda ser, pero papá andaba metido en... No sé, simplemente...

—Tu padre llevaba años fuera de circulación y cuando le vi en octubre pasado no parecía muy dado a meterse en líos.

—Nos detuvieron hace unos días.

Logró sorprenderle.

—¿Que os detuvieron?

—Sí, a los dos.

—¿La policía?

—Claro.

—¿Por qué?

—Ni idea. —Movió la cabeza de lado a lado—. Vinieron y se nos llevaron tras poner todo esto patas arriba. —Abarcó el piso con las manos.

—¿Qué buscaban?

—¡Miquel, que no lo sé!

—¿Qué te dijo tu padre?

—Que no pasaba nada, que estuviera tranquila. Pero fue... horrible. La manera como nos trataron, la violencia...

—Cálmate. —Frenó su acceso de miedo.

María se llevó la mano a los ojos. Los frotó, apretando los párpados. Con toda probabilidad había pasado la noche en vela, así que debía de estar agotada.

—¿Quieres descansar y me lo cuentas luego?

—No, no podría. He de... soltarlo, ¿entiendes?

—Entonces hazlo —la invitó a seguir.

La pausa fue breve.

—Nos detuvieron el día 20. —Esbozó el comienzo de su relato—. Pasamos la noche en comisaría, separados, y al día siguiente, el 21, a mí me dejaron ir sin decirme una palabra. Pregunté por él y nada. Me dijeron que me fuera a casa y me portara bien. Así, en plan escuela: «Váyase a casa y sea buena». ¿Te imaginas? Tuve que venir aquí, sola, sin tener ni idea de qué estaba pasando ni saber a quién acudir.

—¿Por qué no viniste a verme a mí?

—Papá decía que vosotros ya no erais más que residuos de un tiempo olvidado. —Suspiró—. La verdad es que ni lo pensé. No se me ocurrió. El sábado pasado, de pronto, sí habló de ti. Me dijo que, si moría, te buscara.

—Y le atropellaron el domingo.

—Sí.

—¿Cuándo le pusieron en libertad?

—El 21 era sábado. Hice lo que me dijeron, vine a casa y esperé. Mortificada al máximo pasó el domingo, y el lunes, al no saber nada, volví a comisaría. Me dijeron lo mismo, que me marchara y que ya recibiría «oportunas diligencias», que no sé a qué diablos se referían. No sé cómo no me volví loca. Así estuve hasta el miércoles, cuando le soltaron.

—Seis días preso.

—Tendrías que haber visto cómo llegó.

—¿Le torturaron?

—Le masacraron. —Fue explícita.

—¿Huellas visibles?

—No en la cara, pero sí en el cuerpo. Le costaba respirar y su cojera era mucho mayor. Tenía hematomas violáceos por todas partes. —Retiró dos lágrimas de los párpados—. ¡Era un anciano de setenta y seis años, por Dios!

—¿Qué te dijo él?

—Nada, que había sido un error.

—¿Así de fácil?

—Sí.

—¿Te lo creíste?

—No lo sé —gimió—. Ya estaba en casa, era todo lo que me importaba. ¿Qué querías que hiciese? Me dijo que había sido una confusión y que no quería hablar más de ello. Yo... le vi tan mal, y sobre todo tan humillado, que ya no abrí la boca. ¿Recuerdas cómo era en sus buenos tiempos? Nunca hablaba del trabajo en casa. Lo dejaba en comisaría. Jamás fue el padre más hablador, ni el más simpático. Ya cuando lo jubilaron por su cojera se hundió anímicamente pero encima, con la guerra, Franco, la muerte de mamá... Vivía encerrado en sí mismo, y eso que en estas últimas semanas parecía más animado, incluso contento.

—¿Dices que regresó el miércoles y lo atropellaron ayer domingo?

—Estuvo tres días en casa, encerrado, mudo. Por un lado

le costaba respirar y caminar, por el otro quizá se sintiese humillado por lo sucedido. Él, que había sido un inspector de policía, apaleado en una comisaría. Lo único que pude hacer fue cuidarle, que comiera y descansara. Pero cuando sacaba la cabeza por el pasillo o la puerta de su cuarto para espiarle, le veía tan abatido, la mirada fija y perdida en ninguna parte, la expresión de... —María se estremeció—. Unas veces era de rabia, pero las más era de extrema pena. Incluso una noche lloró, en su cama. ¡Le oí llorar, Miquel! ¡Papá era de pedernal, ni una lágrima, nunca, y lloró!

—Haz memoria. Algún indicio, alguna palabra...

—Ni una, te lo juro. En tres días, nada. El sábado por la noche, de pronto, me abrazó como hacía años que no me abrazaba y me dijo eso de ti: que si moría, te llamara. Nada más. Ahora me doy cuenta de que lo esperaba.

—O sea que no le detuvieron por un error como te dijo.

—Pero ¿en qué podía andar papá, o qué podía saber de... qué sé yo?

—¿Cómo era su expresión al abrazarte y decirte eso?

—Triste. Muy triste y desolada. Igual que si se acabara el mundo.

—¿Y por qué tenías que llamarme? ¿Para que te cuidara?

—Eso no tiene sentido, ¿no crees?

No. Un policía no llamaba a otro si no existía una verdadera causa.

Miquel sintió una contractura estomacal.

Conocía los síntomas.

De hecho, ya se estaba metiendo hasta las orejas en lo que fuera.

—¿Por qué salió ayer?

—Dijo que necesitaba respirar. Hacía tan buen día... Quise acompañarle pero no me dejó. Como es natural, no insistí. Hasta me pareció bien que por fin saliera de casa y diera una vuelta. Cuando pasaron las horas y no volvió...

—¿Dónde le atropellaron?

—En el cruce de Sepúlveda con Viladomat.

—¿Qué te dijo la policía?

—Me llamaron del hospital. Ellos me informaron de todo.

—¿Le hicieron la autopsia?

—No creo. El atropello fue muy violento. La causa de la muerte fue ésa y no otra. ¿Por qué iban a examinar su cuerpo?

—¿La policía no habló contigo?

—Sí, el domingo por la tarde, pero... no sé, parecían...

—¿Parecían qué?

—Contrariados.

—Explícate.

—Volvieron a hacerme preguntas. Temí que me encerraran otra vez.

—¿Qué te preguntaron?

—Si conocía a unas personas.

—Dices que «volvieron a hacerte preguntas». ¿La primera vez que te detuvieron te preguntaron también por ellas?

—Al detenerme no, ni al llegar a comisaría. Nos separaron y nada más. Pero sí al día siguiente, el sábado. Estaba sola y muy asustada. Entonces vino aquel comisario o lo que fuera. Un hombre muy siniestro. Dijo que no quería perder el tiempo. Fue lo único que quiso saber.

—¿Conocías a esas personas?

—No, nunca había oído sus nombres.

—¿Los recuerdas?

—Claro. —Sonrió con amargura—. Primero me los repitió una y otra vez, hasta que se me quedaron grabados a fuego. La forma en que me lo preguntó, en aquella celda, tan amenazante... Eran Pascual Virgili, Maurici Sunyer, Esteve Roura y Enric Macià.

—Haz memoria, María. No son apellidos vulgares como García, Sánchez o Rodríguez.

—Por eso se me quedaron grabados. Te juro que jamás los

había oído nombrar, y vuelvo a recordarte lo seco que era papá.

—¿La policía te preguntó las dos veces por esos cuatro hombres?

—No. Por los cuatro la primera vez. Ayer sólo por dos de ellos: Sunyer y Roura.

—¿Tienes idea...?

—No.

Miquel se reclinó en la silla. Llevaba un buen rato envarado, inclinado hacia delante, como hacía en sus días de inspector cuando interrogaba a alguien y quería apretarle las tuercas.

Ahora le dolía la espalda.

—Es evidente que te creyeron, o no estarías aquí —le hizo ver.

—Lo sé.

—¿Quién puede saber algo de esas personas?

María Galvany no respondió.

Sus ojos sí lo hicieron.

En sus pupilas titiló una luz.

—María...

—Hay... una cosa que no les dije a los policías —musitó despacio.

—¿Por qué?

—No preguntaron. —Fue lacónica.

—Vaya por Dios. —Miquel abrió los ojos.

—Papá solía decirme que el buen testigo es el que se limita a responder a lo que le preguntan, y un buen policía es el que sabe hacer las preguntas adecuadas.

—Eso me lo dijo a mí el primer día que nos conocimos. Era una de sus máximas. —Sonrió cansino—. ¿Qué es eso que no les contaste?

—Hace un rato te he dicho que papá estaba más animado últimamente. Y que incluso parecía contento.

—Sí, es cierto.

—Se veía con alguien.

—¿Una mujer? —Además de abrir los ojos de nuevo, alzó las cejas.

—Sí.

—¿En serio?

—Bueno, tú estás con una mujer mucho más joven y tienes...

—Sesenta y cinco.

—Pues eso.

Dejó que la noticia le penetrara y calara en su ánimo.

—Mateo tenía novia —exhaló.

—Yo no diría tanto, pero que se veía con ella sí.

—¿Cómo lo sabes?

—Una tarde una amiga me dijo que les había visto juntos, cogidos del brazo y todo. Traté de sonsacarle, aunque no de forma directa, y nada. Mi amiga volvió a verlos, pasando por delante de donde ella trabaja, y entonces comprendí que ya no podía ser casual.

—¿Sabes dónde vive esa mujer?

—Sí.

—¿Y eso?

—Quise estar preparada, por si acaso —dijo sincera—. La segunda vez mi amiga les siguió un par de calles y les vio meterse en un portal.

—¿Dirección?

—Calle Floridablanca 120.

—¿Cómo se llama?

—Esperanza Sistachs.

—¿Sabes cuándo pudo conocerla?

—Por Navidad, como mucho muy poco después. Es cuando a él le cambió el humor, aunque tampoco es que le durara demasiado.

—¿Ah, no? ¿Por qué?

—Hará cosa de un mes, más o menos, se volvió a mostrar seco y evasivo. Y también despistado o... Bueno, a veces le sorprendía mirando por la ventana como un pasmarote, perdido en sus pensamientos, y lo criticaba más todo, la dictadura, la situación política, la represión... —María hizo una pausa—. Yo creo que a esas cuatro personas, si es que las conocía realmente de algo, las conoció en estas últimas semanas.

—¿Sabe esa mujer que tu padre ha muerto?

—Oficialmente yo no sabía nada de ella, así que...

—Entiendo.

—¿Irás a verla?

—Sí.

—¿Para...?

—No lo sé, María. Ya no soy policía. Los tiempos están cambiando y nada es como antes. Y además están ellos.

«Ellos.»

Siempre «ellos».

Guardaron un breve silencio preñado de incógnitas y preguntas sin respuestas.

Hasta que él lo rompió.

—¿Puedo ver las cosas de tu padre?

4

Tomó la iniciativa, se levantó y caminó hasta la habitación de Mateo. Como policía, revolver las cosas de los muertos era algo que jamás había superado. Se sentía un intruso, un ave de rapiña. Pero sabía que en la mayoría de los casos siempre quedaba algo, un resto, un indicio, una pista, casi siempre apenas perceptible incluso para el más experto de los ojos. Por eso, además, se necesitaba tener buena memoria.

Recordar los detalles.

—La policía ya lo escudriñó todo —le insistió María.

—No desordenaré nada.

—No lo decía por eso, aunque pasé horas reorganizando la casa. Parecía que la hubiera arrasado un huracán.

—¿Se llevaron algo?

—Unas libretas, la agenda de teléfonos... No estoy segura. Nunca he registrado la habitación de papá. Limpiaba, hacía la cama y poco más. Los cajones eran cosa suya. No vi lo que esos agentes tocaban ni lo que cogían exactamente.

Primero, lo grande, lo evidente. Abrió el armario y miró la ropa, escasa y vieja. Se tomó la molestia de examinar los bolsillos de los pantalones y las camisas así como los de la única chaqueta y el abrigo. Nada. Limpios. El traje con el que había muerto debía de ser el mejor, o el que hubieran utilizado para vestirle en su último tránsito. Pasó a los cajones. Ropa interior, calzoncillos, camisetas, calcetines muy remendados y poco más. Una vida reducida a lo mínimo. También eran escasos los libros de la librería, casi todo novelas baratas salvo algún clásico ruso como Dostoievski. En la mesilla de noche, un trapo sucio que no quiso tocar, unas gotas para los oídos, otras gafas, un tubo de aspirinas, dos revistas de actualidad que ojeó minuciosamente, página a página, un termómetro, una cajita con insignias de las que daban en el cine con la entrada, una cajita con capicúas del autobús y el metro, una foto de su mujer...

Nada que recordara su pasado policial.

Ningún retrato personal, ninguna de sus menciones, ninguna medalla.

—¿Dónde guardabais las cosas de la casa, recibos...?

—En la salita.

Regresaron a ella. María le señaló el aparador. En la parte de arriba había vasos y platos, servilletas, cubiertos y un par de manteles. En la de abajo, en dos estantes, papeles amontonados de cualquier forma.

—Ya te digo que tuve que recogerlo todo como pude. No está ordenado —se excusó.

Miquel tomó los papeles y los llevó a la mesa. Se quedó de pie mientras los examinaba uno por uno. María se sentó. Había recibos de la luz, del agua, del alquiler... Lo único disonante era un recibo de un club de ajedrez fechado el mes anterior, en abril.

Lo dejó con todo lo demás.

—Ya te lo dije —manifestó ella.

Continuó la inspección por la cocina, el cuarto de baño, el trastero...

Quedaba la habitación de María.

—Puedes mirarla —le dio permiso—, aunque aquí todo lo que hay es mío. Papá no entraba.

El examen fue menos minucioso, sobre todo cuando abrió el cajón de las prendas más íntimas. Acabó sintiéndose culpable y salió de allí mucho más rápido de lo que había entrado.

De nuevo en la salita, con la galería pegada a ella y el sol que la bañaba con generosidad, llegó la hora de las despedidas.

Y no era fácil.

«Si me pasa algo, ve a por Miquel.»

Mateo Galvany le pedía ayuda desde el más allá.

Seguía debiéndole la vida. Si no le hubiera empujado escaleras abajo aquel día, estaría muerto.

—María, si necesitas algo, lo que sea...

—No, en serio, gracias.

—Escucha —insistió tomándola de las manos—. No soy rico, pero en el 47, nada más llegar a Barcelona, me vi metido en un lío del que salí más que bien, con una inesperada fortuna de la que vivimos Patro y yo, sin alardes para no llamar la atención. Lo que sea, puedo dártelo. Incluso si quieres irte de Barcelona.

—¿Irme, adónde?

No siempre «empezar de nuevo» era una expresión fácil.

—Si quieres venirte a casa con nosotros unos días, para que no estés sola...

—No, por Dios, Miquel —negó con vehemencia—. Mi sitio es éste.

—Entonces vendremos a verte.

María le sonrió por primera vez. Por un momento volvió a ser una mujer.

—¿Cómo es ella?

—¿Patro? Muy agradable y simpática. Está llena de vida. No sé qué habría hecho de no haberla encontrado. Apareció en mi camino en el momento más inesperado y... Ya ves. —Pareció excusarse encogiéndose de hombros—. Estos días está fuera. Regresa mañana.

—Papá me dijo que cuando viniste a verle no le hablaste

demasiado. Lo único, que vivías con alguien. Pero que al final, antes de irte, te lo sacó.

—Sí.

—Le comentaste que era muy joven.

—Sí.

—Y guapa.

—Mucho.

—Me alegro por ti.

—Ni siquiera le dije que nos casamos. —Bajó la cabeza avergonzado.

—He visto el anillo, sí. —Lo tocó con un dedo de su mano.

—Fue a comienzos de diciembre, cuando regresamos de ver la tumba de mi hijo.

—¿Dónde está enterrado?

—Cayó en el Ebro, pero el soldado que lo sepultó hizo un mapa que me entregó en los últimos días de la Barcelona republicana, antes de que entraran las tropas franquistas. En octubre tuve que buscar la tumba de un chico muerto al estallar la guerra, y cuando la encontré comprendí que era una señal, un aviso. En aquellos días descubrí por qué estaba vivo y cuál era mi suerte. Lo acepté por fin. Dejé de sentirme culpable por haber sobrevivido. Y te digo una cosa: aceptar la vida es más duro que aceptar la muerte. Entonces decidí cerrar todas mis viejas heridas. La primera, ir allí, al Ebro. La segunda, casarme con Patro.

—Tuviste coraje.

—Amor, sólo eso.

—¿Podrás desenterrarle?

—¿A un soldado republicano metido en una tumba perdida? No.

—Tuvo que ser muy duro.

—Y también emocionante, liberador... Por si faltara poco, me llegó la mejor de las noticias: que mi hermano y su mujer estaban vivos en México. Consiguieron huir en el 39, lo pasaron mal, muy mal, en un campo de refugiados francés, pero al final...

—Entonces algún día te irás a México.

—No, no creo. Soy un ex prisionero político. ¿Quién me daría un pasaporte?

—Hay quien los fabrica.

Miquel sonrió.

—Esta posguerra es un cáncer interminable, pero no hay bien ni mal que cien años dure, aunque yo ya no lo vea. —Su voz se revistió de una esperanza que casi nunca sentía—. Sigue habiendo prisioneros en las cárceles franquistas, y resistentes en las montañas, y represión, y detenciones, y quizá un día incluso Franco caiga, quién sabe.

—Quizá.

Miquel se acercó a ella y la abrazó.

Le dio un beso en la mejilla.

—¿Qué vas a hacer?

—Seguir —susurró María—. Tengo mi trabajo. No es gran cosa pero... ¿Qué quieres que haga?

—¿Te importa saber quién mató a tu padre?

La respuesta se demoró unos segundos.

—Sí. —Se separó de él y le miró a los ojos con determinación—. Y sobre todo me importa saber por qué.

Su visitante asintió con la cabeza.

—Entonces volveré —dijo.

Los dos echaron a andar en dirección a la puerta del piso.

5

Esperanza Sistachs vivía en una casa vieja con heridas de guerra en la fachada. La metralla la había picoteado sin que nadie, de momento, se hubiera dignado arreglarla o, al menos, tapara los huecos. Podía ser por falta de dinero o de interés, o de las dos cosas. El resultado era el mismo. Al lado, un solar vacío esperaba una nueva construcción que le valiera a la nueva Barcelona para seguir olvidando el pasado, mintiéndose a sí misma. Trabajo no les faltaba a los emigrantes que llegaban en oleadas en busca de pan. Miquel se lo quedó mirando mientras trataba de recordar si alguna vez vio allí un edificio en los días en que perseguía a los malos por la ciudad, antes de que los malos de verdad se apoderaran de ella. Los bombardeos para aterrorizar a la población fueron indiscriminados. La guerra española había servido de campo de experimentación para la Segunda Guerra Mundial. Los italianos en Barcelona, los alemanes en Gernika...

Si la posible bomba que hundió aquella casa más de diez años antes se hubiera desviado un metro, la derruida sería aquella en la que ahora se disponía a entrar.

La historia cambiaba así. Un metro, un segundo.

La portera del inmueble era igual que la mayoría de las porteras. Como si las fabricaran en serie o ya vinieran con el edificio. Llevaba una bata blanca y negra, a cuadros. Le observó con rostro avinagrado. El moño que coronaba su cabeza estaba tan prieto que los ojos se le subían hacia arriba, muy abiertos.

—¿La señora Esperanza Sistachs?

—Tercero tercera. —Le miró de arriba abajo sin disimulo.

Otra casa sin ascensor. Se resignó. Subió despacio, porque de entre todas las cosas que le fatigaban, subir escaleras era la peor. Aun así llegó al tercer piso, que en realidad era el quinto contando el entresuelo y el principal, resoplando igual que si hubiera corrido una maratón. Se tomó unos segundos para atemperar su pulso y dejar de jadear antes de apretar el timbre.

Al otro lado de la puerta, una voz de mujer refunfuñó:

—Llegas antes de hora...

Cuando la abrió y se encontró con él, dejó de hablar.

La amiga de Mateo Galvany tendría sus años, sesenta y cinco más o menos. Era relativamente alta, proporcionada, agradable, hermosas facciones, rostro dulce, gafas, cabello cuidadosamente peinado, gestos delicados. Vestía de negro, con gusto. Llevaba un collar de perlas falsas en el cuello, una pulserita en la muñeca derecha y el reloj, discreto, en la izquierda. Un broche prendía su pecho. Más bien un camafeo de aspecto antiguo.

—¿Sí? —Se lo quedó mirando a la espera de que hablase.

Entonces se dio cuenta de que no tenía nada preparado. Tuvo que reaccionar.

—Perdone que la moleste, señora. Soy amigo de Mateo.

—Ah.

—¿Puedo pasar?

No era tonta. Pudo ser la intuición femenina o el hecho de que él estuviera allí cuando se suponía que nadie sabía su secreta relación. El caso es que se sujetó con una mano a la puerta y se llevó la otra al pecho.

—¿Le ha sucedido algo?

—Preferiría...

Cerró los ojos y el apoyo en la puerta se hizo mayor.

—No —musitó.

Miquel estuvo al quite. Le bastó un paso para cogerla y hacer que se apoyara en él. Luego cerró la puerta y la condujo por un pasillo en dirección a la luz del fondo, la de un comedor que daba a la calle Floridablanca. Esperanza Sistachs se dejó llevar. Cuando llegaron a su destino hizo que se sentara en una silla. La casa era tan agradable como ella, cómoda, sencilla pero con detalles de buen gusto aunque no precisamente caros. Incluso había flores en la mesa. Por todas partes vio fotografías con marcos de muy diverso tipo, madera, metal... La mayoría eran de unos niños pequeños.

Y no parecían recientes.

—¿Vive sola?

—Sí. —Le cubrió con una mirada de dolor y tristeza—. ¿Qué le ha sucedido a Mateo?

—Ha muerto. —Fue sincero con ella.

—Dios... —Los ojos se le llenaron de lágrimas.

Primero María, ahora... Se resignó a su suerte. En sus días policiales no era infrecuente que tuviera que dar noticias como aquélla. La diferencia consistía en que entonces los muertos eran otros, no un amigo.

—¿Quiere un vaso de agua?

—Por favor...

—¿La cocina?

—Ahí. —Le mostró el pasillo haciendo un gesto a la derecha.

Se orientó como pudo y con prisas. No quería dejarla sola. Por suerte había vasos limpios en el fregadero. Llenó uno y regresó con él. Esperanza Sistachs miraba la ventana con expresión ausente, porque su mirada no era exterior, sino interior. Le puso el vaso en la mano y se la acompañó hasta los labios. Apuró la mitad de tres sorbos y lo dejó en la mesa. Había conseguido no llorar, pero estaba catatónica.

—¿Quién... es usted?

—Me llamo Mascarell, Miquel Mascarell. —Se arrepintió al momento de darle su verdadero nombre sin saber por qué, guiado por el instinto de supervivencia que le mantenía desde su regreso a Barcelona—. Mateo y yo fuimos compañeros en la policía antes de la guerra.

—Lo siento, pero...

—Da igual, no se preocupe. Siento tener que conocerla en estas circunstancias.

—¿Le habló él de mí? —se extrañó.

—No. Estoy aquí por María.

—No entiendo.

—Una amiga les vio a usted y a Mateo juntos, paseando, cogidos del brazo. Luego les vio entrar en esta casa.

—Así que la hija de Mateo...

—Sí. Su padre no le dijo nada pero ella sabía de su existencia.

Bajó la cabeza. No había vergüenza ni azoramiento en su expresión, sólo recato y el súbito cansancio de las realidades que aniquilan el alma.

—¿Cómo murió?

—Lo atropelló un coche el domingo. Ha sido enterrado hoy.

Eso sí la hizo estremecer. Cerró los ojos.

Pero siguió sin llorar.

Entonces él lanzó la segunda bomba.

—María cree que lo han asesinado.

—¿Qué? —Se puso pálida.

—¿Puedo hacerle unas preguntas?

—¿Todavía es policía?

—Ya no. Pero Mateo era mi amigo y le he prometido a su hija tratar de saber qué sucedió.

—Pero ¿quién querría matar a un anciano, por Dios? ¿Y a santo de qué? Es absurdo.

—Déjeme que le haga unas preguntas.

—No sé qué pueda decirle yo.

—Si eran amigos y se veían a menudo, más de lo que quizá imagine.

—No nos veíamos tan a menudo. Una o dos veces a la semana.

—¿Cuándo lo conoció?

—En diciembre pasado. Nos entendimos de inmediato. El mejor hombre que he conocido.

—Tenía fama de huraño. ¿Cómo fue?

—Resbalé en la calle y él me ayudó. Fue muy amable. Me llevó a una casa de socorro para que me curaran el golpe, y luego se quedó allí para acompañarme a casa.

—¿Han sido sólo amigos todos estos meses?

—Sí. —Enrojeció.

—Perdone las preguntas pero...

—¿De verdad está investigando su muerte?

—Se lo he prometido a María, nada más.

—Sólo éramos amigos —asintió firme.

—¿Aunque les vieran del brazo?

—¿Dos viudos de muchos años han de guardar las apariencias?

—No, claro.

—Usted tiene suerte.

—¿Por qué?

—Está casado. —Señaló su anillo.

—Sí —admitió.

—Mi marido murió en un bombardeo. Yo me salvé porque olvidé una cosa, salí a la calle y... También murió una de mis hijas, mi yerno y dos nietos. Estábamos en su casa. —Seguía como ida, sin asimilar del todo la noticia, pero hablaba con cierto aplomo. Llenó sus pulmones de aire antes de continuar—: He vivido sola desde entonces, hasta que Mateo me devolvió, al menos, una sonrisa. No sé cómo sería con los demás. Conmigo era dulce, considerado, atento y hablador.

—Tenía fama de todo lo contrario, y desde luego nada feliz.

—O no lo conocían bien, o yo saqué de su interior todo lo que ocultaba, ¿no cree? Por eso estábamos bien juntos.

—Ha dicho que se veían una o dos veces por semana.

—Sí.

—¿Dónde?

—Aquí. Me recogía y nos íbamos a pasear, a merendar o al cine.

—¿La avisaba de alguna forma?

—No. No tengo teléfono, ni tenía él. Pasaba y ya está. Suelo quedarme en casa siempre. No había problema.

—¿Lo vio ayer?

—No.

—Pensé que salía de verla a usted. Lo atropellaron aquí cerca.

—Entonces venía a verme, seguro. —Suspiró de vuelta a la conmoción—. Después de tantos días...

Miquel recordó la secuencia contada por María. Detención el 20, libertad el 25, luego tres días en casa sin salir, hasta el domingo 29.

—¿Cuándo fue la última vez que lo vio?

—El día 20, por la mañana —respondió después de hacer memoria—. Lo recuerdo porque ese día pagó el alquiler del mes siguiente y fuimos juntos.

—Ése fue el día que los detuvieron, a él y a su hija.

—¿Que los detuvieron?

—Sí. Mateo estuvo seis días preso, sometido a torturas. Salió en bastante mal estado y pasó otros tres en casa. Ayer domingo por fin se atrevió a pisar la calle, obviamente para venir a verla a usted.

—Pero... ¿por qué lo hicieron? —Reflejó el estupor que sentía.

—Su hija lo ignora. A ella la soltaron al día siguiente. Luego su padre no le dijo nada, se encerró en uno de sus clásicos mutismos. Sólo que había sido un error.

—¡Pero si Mateo no era más que un jubilado, y encima impedido!

—¿No le extrañó que pasaran tantos días sin noticias suyas?

—Un poco, pero... —Hizo un gesto ambiguo—. Ya me había advertido de que tal vez estos días no nos viésemos demasiado.

—¿Por qué?

—No lo sé.

—¿No se lo preguntó?

—Mateo contaba lo que quería contar, incluso a mí. A veces se hacía el misterioso, otras me daba una sorpresa... Aprendí a respetarle así. —Reflexionó un instante y agregó—: Aunque desde luego, ahora que lo pienso... llevaba más o menos un mes un poco agitado, unas veces lleno de silencios, otras hablador y rebosante de adrenalina. Decía que nos habíamos conocido tarde, pero que siempre había una esperanza. —Sonrió con dulzura—. Jugaba con mi nombre, ¿sabe?

—¿Mateo hablaba de... esperanza?

—Sí.

Siete meses antes se había reencontrado con un hombre amargado y derrotado. Un hombre que ya no creía en nada. Un hombre que aborrecía el fascismo, la dictadura, Franco, los militares, los curas... Todo lo que dominaba España desde la guerra civil.

La cruzada.

—¿Le hablaba de su pasado? —Intentó seguir el interrogatorio para evitar que ella reaccionara y se hundiera finalmente.

—No mucho, la verdad. Alguna anécdota.

—¿Enemigos?

—No que yo sepa, y menos a estas alturas. Decía que toda la gente que había conocido estaba muerta.

—¿Nunca dijo nombres?

—No, ni el suyo, lo siento. Oiga... —Le miró con la dulce tortura de sus ojos agotados—. Por más vueltas que le dé, ¿no entiende que lo que me dice es absurdo? ¿Cómo va alguien a atropellar a una persona deliberadamente? ¿Qué dijo el conductor al ser detenido?

—El conductor se dio a la fuga, y según parece, fue a por él.

Esperanza Sistachs parpadeó.

Se mantenía en pie por un delgado hilo.

—¿Le suenan de algo los nombres de Pascual Virgili, Maurici Sunyer, Esteve Roura y Enric Macià?

—Esteve es primo mío. Bueno, primo segundo. Miquel y él se conocieron aquí mismo, el 3 de abril. Fue...

Sonó el timbre de la puerta.

La persona que estaba esperando acababa de llegar.

Miquel maldijo su mala suerte.

—Oh, ésa es Mariángeles, perdone.

Esperanza Sistachs se levantó y, más que caminar, corrió en dirección a la puerta de su piso.

6

La distancia desde el comedor no era mucha, y además reinaba el silencio. Pudo oír con claridad cómo le decía a su visitante que Mateo había muerto y luego cómo se echaba a llorar, finalmente rendida.

Miquel se sintió incómodo.

¿Amigos?

Allí mismo, en aquella sala, en aquel piso, Mateo había sido feliz por última vez.

Frente a la soledad, la edad no cuenta. Patro y él eran más extraños como pareja que dos ancianos de setenta y seis y sesenta y cinco años.

Lo importante era no rendirse.

Jamás.

Escuchó los pasos acercándose por el pasillo. Unos tacones de mujer. La dueña del piso llevaba unas zapatillas de estar por casa. Se levantó de la silla al verlas aparecer por la puerta del comedor. Esperanza Sistachs se recostaba en el hombro de otra mujer, aún más alta, más bien larguirucha, vestida con primor aunque también de negro. Iba maquillada, labios pintados de rojo. Tendría unos pocos años menos que su amiga.

A duras penas hizo las presentaciones.

—El señor Mascarell... mi vecina Mariángeles...

Le dio la mano. La mujer se la estrechó. Carácter. No dejó

de sujetar a Esperanza con el brazo izquierdo. Cuando ella se dejó caer sobre la silla, la visitante hizo lo mismo a su lado. Le cogió las manos con las suyas, solícita.

—La hija de Mateo sabe que él y yo... éramos amigos. Nos vieron cogidos del brazo por la calle.

Mariángeles no abrió la boca.

—Ella cree... que le han atropellado a propósito...

Ahora sí. Demudó la cara como si acabase de recibir un puñetazo en el estómago.

—¡Qué me dices!

—El mundo se ha vuelto loco, Mariángeles. —Volvió a llorar.

Su amiga miró a Miquel.

—Era el hombre más agradable que pueda imaginarse —le dijo—. ¿Quién iba a querer matarle, por Dios?

Les sobrevino un silencio cargado de incertidumbre. Miquel no supo cómo retomar el interrogatorio estando la amiga delante y en el estado en que ya se encontraba ella.

—Las estoy entreteniendo —acabó diciendo para tantear el ambiente.

—Si no hubiera venido usted, no habría sabido nada —exhaló Esperanza.

Tenía que intentarlo.

—Hace un momento me hablaba de su primo Esteve.

—Sí. —Retrocedió mentalmente haciendo un esfuerzo—. ¿De dónde ha sacado su nombre?

—Mateo lo tenía anotado en una libreta, en su casa —mintió con aplomo—. ¿Qué sucedió el 3 de abril?

—Hice una merienda por mi cumpleaños —lo dijo como una niña de poca edad, revestida de ternura—. Mateo no quería venir, le daba no sé qué conocer a mis amigas y amigos. Decía que cuando lo vieran, tan mayor, y cojeando, me harían comentarios y acabaría avergonzándome. Yo insistí, por supuesto. Sea como sea vino, y un par de semanas o tres después me dijo que ese día había sido el más importante de su vida presente.

—¿Por qué?

—No me lo aclaró, pero él y Esteve se pasaron toda la tarde discutiendo.

—¡Oh, sí! —asintió Mariángeles.

—¿Divergencias?

—¡No, al contrario, estaban de acuerdo! Al final tuve que decirles que bajaran la voz porque... bueno... Mateo republicano convencido y Esteve... Menudo es mi primo.

—El día menos pensado tendrá un disgusto, porque es de los que se lía a hablar sin mirar dónde está, y encima lo hace a gritos, como si los demás estuvieran sordos o todos pensaran como él —dijo la vecina.

—No es tan loco, mujer —le defendió Esperanza.

—¿Que no?

—Es vehemente, y ya sabes que política y cine son sus pasiones.

—Mira, el cine... pase. Que se sepa la vida y milagros de actores y actrices o que domine el tema y pueda hablar de cualquier película, lo entiendo. Pero la política... ¿Política hoy en día? Aquí manda quien manda y ya está. Te digo que acabará preso o peor, en un paredón.

—No es más que un inconsciente —siguió defendiéndole la dueña de la casa.

—¿Qué edad tiene su primo? —retomó la palabra Miquel.

—Cuarenta y siete.

—¿Casado?

—No, no, vaya uno.

—¿Qué mujer aguanta a un cabeza de chorlito? —dejó ir Mariángeles como puntilla.

—¿A qué se dedica?

—Trabaja en una imprenta. Es el encargado. —Esperanza plegó los labios en una mueca de vacilación—. Tampoco es que le vea mucho o que hablemos de sus cosas. De peras a cuartos. Ese día vino a mi merienda para acompañar a mi prima, su madre. Fue una pura casualidad. Pero ya ve, se pusieron a hablar Mateo y él...

—Oiga. —El tono de Mariángeles se tornó conspirador—. Usted no dirá nada de esto, ¿verdad?

—Mateo era mi amigo, señora. Y yo también he sido un represaliado del régimen. —Se dirigió de nuevo a Esperanza—. ¿Puede darme la dirección de esa imprenta?

—Ay, no la sé, pero está en la calle Escudillers, muy cerca de Vidrio y la plaza Real.

—¿Y las señas de Esteve?

—¿Por qué quiere hablar con él?

—De entrada para decirle que Mateo ha muerto —mintió una vez más—. Luego para preguntarle si sabe de alguien que quisiera hacerle daño. Todo ha sido tan repentino. Por favor...

Le dio la dirección. No tuvo que anotarla. Seguía disfrutando de la mejor de las memorias. Esperanza Sistachs se miró las manos. Las tenía bonitas.

Volvió a llorar.

Mariángeles la abrazó en silencio.

Quedaba una última pregunta.

—Señora...

—Lo siento, es que...

—Mateo lo valía —proclamó—. Sin embargo, ha de recuperarse.

—Gracias.

—Queda una cosa más.

—Diga. —Se enfrentó a su mirada.

—La policía registró la casa de Mateo y de su hija. Según ella, no encontraron nada. Me pregunto si él guardaba aquí alguna cosa, ropa...

—Ropa no, desde luego —saltó como impelida por un resorte—. Lo único su libreta.

—¿Qué libreta?

—Aguarde.

Se levantó, salió del comedor caminando con el esfuerzo de su dolor a cuestas y los dejó solos. La vecina estaba tiesa como un palo, solidaria con la pena de su amiga y digna ante la visita de Miquel. Toda una dama. Probablemente tan viuda como ella. España era el reino de las viudas y el paraíso de los hombres que debían asegurar la continuidad de la especie, aunque fuesen fascistas o conversos por necesidad. Estuvo a punto de preguntarle por qué iban las dos de negro y adónde pensaban ir.

Se abstuvo.

Esperanza regresó con una pequeña libreta vieja y usada, con la cubierta de cartón verde oscuro. Se la entregó y le bastó con que le diera una ojeada para sorprenderse por su contenido.

Poemas.

Mateo escribía poemas y pequeños textos.

—Parece muy personal —vaciló.

—Lo es, y me gustaría conservarla, pero... bueno, igual su hija también la quiere. Probablemente descubrirá una faceta oculta de su padre. Mateo la dejaba aquí porque le daba apuro que María la encontrara. Ahora ya... No importa, ¿verdad?

—Se la devolveré —le prometió mientras la guardaba en el bolsillo de su chaqueta.

Sabía que su interrogatorio no iba a dar más de sí. Tampoco tenía nuevas preguntas. Esperanza Sistachs se sostenía a duras penas. Necesitaba estallar, llorar todo lo que pudiera, tal vez acostarse, tomar algo. De eso se encargaría su amiga.

Había conocido a Mateo hacía seis meses pero en algunos casos eso podía ser más incluso que una vida.

—Lamento haberle dado esta noticia, y haberle hecho tantas preguntas. —Se puso en pie.

Ya no hubo respuesta.

Miquel le hizo una seña a Mariángeles para que se quedara con ella y no le acompañara a la puerta.

Conocía el camino.

7

Ojeó la libreta nada más llegar a la calle. Poemas y más poemas, escritos con letra pequeña, apretada, sin apenas tachones, como si le salieran del alma. Poemas de amor, de nostalgia, de rabia, cargados de sentimientos y pasiones. El lado secreto de Mateo. El lado oculto que todo ser humano posee. Incluso él. Patro se lo había sacado a la luz.

Bendita ella.

Bendita Esperanza Sistachs y todas las Esperanzas Sistachs para los Mateo Galvany derrotados con la guerra.

¿Quién escribe poemas de amor si no está enamorado?

No quiso leer nada allí, de pie, en medio de la calle. Se volvió a guardar la libreta en el bolsillo de la chaqueta y caminó en dirección al cruce de Sepúlveda con Viladomat. Un cuadrado del Ensanche a la izquierda y otro subiendo. Si el atropello había sido intencionado, ¿por qué allí y no cerca de su casa, en Sants? Mateo caminaba con un bastón. ¿Había ido a pie hasta la casa de su amiga? No era muy lógico. Y un taxi le habría dejado en la misma puerta. ¿Un autobús?

¿Y el asesino siguiéndole?

Miró arriba y abajo de Viladomat y a derecha e izquierda de Sepúlveda. Lo único visible en el cruce era el quiosco de la esquina que tenía más cerca.

Se dirigió a él.

No fingió mirar ninguna revista ni hacerse el despistado.

De todas formas era lunes y la tiranía de *La Hoja del Lunes* ejercía su monopolio sobre los demás medios. Fue directo al quiosquero, un hombre que fumaba sentado en un taburete aprovechando que no tenía ningún cliente cerca.

—Hola.

—Buenos días.

—Ayer hubo aquí un accidente, ¿verdad?

—¿Un accidente? —El hombre soltó un resoplido—. Lo que hubo fue una masacre, señor. Si viera cómo quedó ese pobre señor...

—¿Dónde sucedió?

—Ahí, ahí mismo. —Se levantó del taburete, salió de su guarida y señaló la calzada—. Vea, no hay más que unos metros. Le juro que todavía tengo el ruido de ese choque metido aquí. —Se tocó la cabeza—. El crujir de los huesos rotos... —Lo acompañó con un estremecimiento final.

—¿Usted lo vio?

—Hombre, no estaba pendiente; pero de pronto oí el chillido de una mujer, levanté la cabeza asustado y en ese momento ¡pam! —Hizo entrechocar las manos—. Yo vi justo cuando el hombre salía despedido por el aire, pasando por encima del capó. El bastón me cayó casi al lado, porque era un cojo, ¿sabe usted? A veces los tullidos se creen con derecho a cruzar por donde quieren, y hoy en día, con tanto coche... Cayó ahí. —Volvió a señalar la calzada—. Rodó unos metros igual que un muñeco roto y desarticulado. Espantoso, se lo juro.

—¿Y el coche?

—¿Ése? ¡Nada, aceleró haciendo chirriar las ruedas! Iba tan rápido que el policía ni le dio. Hasta él reaccionó tarde.

—¿Qué policía?

—Uno de paisano. Estábamos todos pendientes del suceso cuando de pronto... ¡bang, bang! Igual que en las películas, oiga. —Sus ojos se abrieron con desmesura, disfrutando de su papel de testigo aunque fuese con un desconocido—. Yo creo que ese policía estaba paseando tan campante y cuando vio lo sucedido ya era tarde. Debió de comprender que el conductor no pensaba detenerse y entonces sacó su arma.

—¿Cuántos disparos hizo?

—Tres.

—¿Y alguno le dio al coche?

—No lo sé, porque entonces me agaché. ¿Qué quiere que le diga? Las balas van en línea recta pero algunas rebotan. Como para fiarse.

—Hubiera podido darle a alguien. Los policías no disparan si hay riesgo de herir a inocentes.

—Eso... —Se encogió de hombros—. El tipo reaccionó así y ya está. Pero no creo que le diera, al menos al conductor, porque el coche salió disparado a todo gas y le perdimos de vista en un abrir y cerrar de ojos.

—¿Qué hicieron entonces?

—¿Qué íbamos a hacer? Atender al atropellado, que ya estaba más muerto que Carracuca. —Otro estremecimiento—. Además del crujido de sus huesos, no creo que olvide nunca su expresión de pasmo, como si mientras volaba por el aire supiera que era su último suspiro. Por lo menos el policía se ocupó de todo. Lo taparon con una sábana que trajo la señora Manuela, la de la tienda de allí, y en media hora estaba aquí la ambulancia para llevárselo.

—¿Qué hizo ese policía después de efectuar los disparos?

—¿Qué quería que hiciese? Primero trató de reanimar al atropellado. Le habló al oído, le movió... Incluso acabó gritándole.

—¿Qué le gritaba?

—Decía «¡Hable, hable!» y cosas así. No presté mucha atención. Quizá era un novato, aunque yo le calculo unos treinta años. Estaba muy preocupado y se le notaba. Cuando comprendió que no había nada que hacer, tenía que haber visto usted su cara.

—¿Qué quiere decir?

—Pues que parecía muy afectado y contrariado. Yo diría incluso que furioso, puños apretados, mandíbulas rectas... Se quedó junto al muerto. Le registró los bolsillos y todo eso, supongo que para identificarlo y ver si vivía cerca. También mantuvo a raya a los curiosos, porque esto se llenó de gente.

—¿Vio quién conducía el coche?

—Un hombre, sólo eso.

—¿Mayor, joven...?

—Ni idea. Llevaba una gorra.

—¿Y el vehículo?

—Un Topolino. El policía dijo que probablemente era robado.

—¿Y por qué dijo eso?

—Por lo de darse a la fuga, está claro. Una cosa es robar un coche, y otra muy distinta matar a alguien, aunque sea por accidente. A ése cuando lo pillen se le cae el pelo.

Una mujer se acercó al quiosco. El quiosquero caminó hasta ella. Ya había cogido una revista, *Lecturas*. Le dio el importe y se fue ojeándola con impaciencia.

Miquel ya no tenía más preguntas.

Aun así, fue cortés.

—Pues menuda experiencia —dijo.

—Ya ve. Si es que aquí, en medio de la calle, uno ve cada cosa... Igual que mi cuñado, que es taxista. Da para escribir un libro.

—Ha sido muy amable, gracias.

—Ya sabe. ¡Y cuidado al cruzar la calle!

La cruzó despacio.

8

Un policía seguía a Mateo.

¿Por qué?

Le detenían, le masacraban, le soltaban al sexto día... ¿y le seguían?

Es decir, ¿le soltaban precisamente para eso, para poder seguirle?

De nuevo el interrogante principal: ¿por qué?

Se detuvo en la esquina de Floridablanca con Viladomat, con la cabeza llena de truenos y el desconcierto avanzando por sus terminaciones nerviosas. Una voz le gritó desde lo más profundo de su ser: «¡Déjalo!».

¿Cuándo había hecho caso de sus voces?

Si daba un paso en una dirección, era para dar luego dos, y después tres.

—Mierda, Mateo. —Suspiró.

A María la policía no le dijo nada de esos disparos. Se lo habría contado a él. Le hablaron de un atropello y de que el conductor se dio a la fuga. La deducción de que había sido un asesinato partía de ella.

Y no estaba desencaminada.

Tenía más preguntas.

¿Por qué a María la habían liberado al día siguiente, sin ponerle una mano encima?

¿La seguían también a ella?

Porque si era así...

Miró distraídamente a su alrededor. Aún sabía lo que era ser inspector. Los detalles contaban.

No vio nada sospechoso.

La clave era Mateo.

Estaba metido en algo, y era algo gordo.

Algo capaz de merecer una paliza de la policía y luego ser asesinado por ello.

Miquel se detuvo. Había ido en taxi hasta la casa de Esperanza Sistachs. Ya no estaba para ir de un lado a otro a pie. La última vez había sido en enero del 39, y tenía diez años menos. Cuando investigó lo de julio del 47 y lo de octubre del 48 se hizo amigo de los taxistas, rápidos y eficaces, aunque en ambos casos le pagaron por su trabajo. Ahora no era así. Era su dinero.

Y Mateo su amigo.

El último.

Podía ir a Escudillers por Riera Alta y la calle del Carmen, cruzar las Ramblas, bajar hasta la plaza Real, dando un paseo, o ir por Hospital, que era más corto y rápido.

—Qué diablos... —rezongó al ver un taxi justo a dos metros.

No era uno de los habladores, sino de los correctos, porque las categorías de los taxistas eran tres: habladores, correctos y maleducados. Le condujo por la vía rápida sin pretender darle conversación y lo dejó en la esquina de Escudillers con Vidrio. Abonó la carrera y miró a ambos lados antes de dar con su objetivo. La imprenta se llamaba Puigvert y desde el exterior no parecía muy grande. Comprobó la hora, empujó la puerta de la calle y se encontró en una especie de oficina revestida de madera oscura, vieja. El ruido de las máquinas era absolutamente audible desde allí, y además machacón, tan monocorde como cadencioso. También olía a tintas.

Un aroma fuerte.

Una muchacha de unos veinte años, lo bastante rellenita como para no tener ninguna línea recta en su cuerpo, le saludó desde detrás de un mostrador bastante alto. Tuvo que apoyarse en él con las dos manos para verla bien al otro lado.

—¿El señor Roura?

La chica vaciló.

—¿El señor Roura...? Bueno, espere.

Se levantó de su sitio y desapareció por una puerta situada a su espalda. En el momento de abrirla y cerrarla el ruido aumentó. La espera no fue muy larga. Apenas un minuto. Regresaron ella y un hombre de unos sesenta años, bigote, escaso cabello, papada generosa. Vestía con elegancia, camisa blanca, chaleco y pantalones. Llevaba una hermosa pajarita al cuello.

—¿Ha preguntado por Esteve Roura? —Le tendió la mano.

—Sí, sí señor.

—¿Es usted policía?

—No.

—Entonces me temo que no pueda decirle nada. —Levantó un poco la barbilla con soberbia.

—Un amigo mío ha muerto y su hija me ha pedido que se lo notifique a sus conocidos, eso es todo. —Se revistió con piel de cordero.

—Ah, vaya. —El hombre frunció el ceño un poco más relajado—. Perdone usted, es que... en fin, la policía ya ha venido dos veces y... ¿Qué quiere que le diga? ¡A mí qué me cuentan! Ese loco desaparece y me preguntan a mí, como si yo supiera de la vida y milagros de mis empleados. ¡A saber en qué lío se habrá metido ese insensato!

—¿Dice que ha desaparecido?

—¿Puede creerlo? —Le mostró las palmas de las manos—. ¡Sin decir palabra, y en plena campaña para el verano, folletos, programas de cine...!

—¿Cuándo desapareció?

—Hace días.

—¿Muchos?

—Pues... —Miró a la chica como si le bastara con eso para confirmarlo—. El lunes pasado ya no vino, sí. Hoy hace una semana. Y ni pío. ¡Ni pío!

—¿Ha ido a su casa?

—¿Para qué? Vive solo.

—Su madre...

—Ah, eso no lo sé —se excusó—. Yo a esa señora no la conozco, aunque siendo como es él... Dudo que la tenga en un pedestal, ¿sabe usted lo que quiero decir? —Recuperó el enfado—. ¡Vamos, que ya es mayorcito! ¿Verdad, Isabel?

—Sí, señor Puigvert —le dio la razón la muchacha con timidez.

—Mire que yo siempre se lo decía, ¿eh? —Casi le puso a Miquel un dedo en el pecho, lanzado a tumba abierta—: «Roura, siente la cabeza que acabará metido en un lío y luego será tarde. Roura, que es usted un bocazas y no mira con quién habla ni quién tiene cerca. Roura, que le da mucho a la lengua. Roura, trabaje y déjese de estupideces...».

—¿Lleva mucho con usted?

—Casi siete años, desde que salió de la cárcel.

—¿Combatiente?

—Sí, claro. —Le miró con sospecha—. ¿Por qué lo pregunta?

—No, por nada. —Fingió indiferencia—. Si está tan loco, bien podía ser un delincuente común.

—¡Sólo le faltaría eso! ¡Y a mí! ¡Aquí únicamente trabaja gente honrada!, ¿verdad, Isabel?

—Sí, sí señor.

—No sé qué le diré a la hija de ese amigo que ha muerto. Mateo Galvany, ¿le suena?

—No.

—Me ha dejado usted de una pieza. Sinceramente no pensaba... —Dio un paso hacia la puerta de la calle.

—Ya ve —le secundó el señor Puigvert.

—Además, cuando la policía investiga... es por algo.

—Lo que yo digo.

—Y si él va y desaparece...

—Lagarto, lagarto —asintió el dueño de la imprenta.

—Pues cuando vuelva... —De nuevo dejó la frase sin terminar.

—Yo no creo que vuelva a verle el pelo, mire lo que le digo.

Miquel puso la mano en el tirador de la puerta, despacio.

—Siento haberle molestado.

—No, hombre. Usted qué iba a saber.

—Un amigo muerto, el otro desaparecido... Espero tener más suerte con los otros a los que he de encontrar. —Le miró con dolor—. Al señor Galvany lo atropellaron.

—Trágico.

—He de encontrar a un tal Virgili, un tal Sunyer, un tal Macià...

No los conocía. No movió ni una pestaña.

—¿Tenía por aquí algún amigo, en la imprenta?

—Sí, Pepe.

Miquel dejó caer la mano sin llegar a mover el tirador.

—¿Podría hablar con él un minuto?

Al señor Puigvert le salió el empresario que llevaba dentro.

—¿No puede venir luego? Estamos hasta aquí de trabajo. —No le ocultó su desagrado ni la pérdida de su paciencia.

—Es que con el entierro ya mismo... Por favor...

—No sé qué pueda decirle él. Si ha desaparecido, ha desaparecido. La policía ya hizo todas las preguntas habidas y por haber.

Miquel siguió tal cual.

—Espere aquí. —El señor Puigvert dio media vuelta sin despedirse y sin darle la mano.

Se quedaron de nuevo solos, Isabel y él. La chica le miró

un momento y le sonrió con cortesía. Probablemente en la imprenta sólo trabajasen hombres. Un angelito en medio de un prado lleno de lobos.

O casi.

Pepe tardó un poco más. Tres minutos. Lo hizo frotándose las manos con una bata sucia de grasa y cara de susto. Lo más seguro era que el dueño le hubiese echado la bronca antes, para que no perdiera más allá del minuto pedido por su visitante e incluso enfadado por ser amigo del desaparecido Esteve Roura. Era un hombre de complexión mediana, cabeza triangular, barbilla a lo John Wayne y orejas grandes, muy grandes. Tendría unos treinta años, bastantes menos que Roura.

—Lamento interrumpirle. —Evitó estrechar su mano sucia—. Ya me ha dicho el señor Puigvert que Esteve Roura ha desaparecido y llevan una semana sin saber de él.

—Sí, exacto.

—¿Usted no tendrá ni idea de...?

—¿Yo? No. —Se revistió de gravedad—. Es lo mismo que les dije a los policías que me preguntaron.

—Pero son amigos.

—No —quiso dejarlo claro—. Conocidos. Trabajamos juntos y a veces, al salir, hubo un tiempo en el que dábamos una vuelta, tratábamos de conocer a alguna mujer o incluso íbamos al cine. Él se pasa todo el rato que puede en el cine. De eso a intimar... Hace unos meses yo me eché novia y ya dejamos de vernos salvo aquí, en el trabajo.

—¿Le cae bien?

—Sí, pero también es un poco pesado. Habla y habla y habla...

—¿Estuvo alguna vez en su casa?

—No, ni él en la mía, ya le digo. —Miró hacia atrás como si su jefe fuese a salir de un momento a otro para pedirle a gritos que regresara a su puesto.

Camino cortado.

—Siento haberle molestado.

—No es molestia —mintió con educación.

Se despidieron al unísono y se dieron la espalda. Miquel esperó a que Pepe cruzara aquella puerta. Una vez lo hizo, no abrió la suya y miró a Isabel.

No tuvo que preguntarle nada.

—A mí ni se me acercaba. —Fue rápida la muchacha—. Le corté las alas el primer día.

Miquel sonrió.

—Gracias.

Salió de la Imprenta Puigvert y caminó hacia la plaza del Teatro para coger otro taxi.

Tenía que ir casi al pie del Tibidabo, cerca de la plaza de Lesseps.

9

Era evidente que Esteve Roura no iba a estar en su piso. Uno no desaparece del mapa y se queda en casa. Y si lo hace, es porque está enfermo, y entonces avisa al lugar de trabajo.

Roura se había apartado de la circulación muy rápido.

Pero si buscaba respuestas, el lugar indicado para encontrarlas era allí.

Miró el edificio. Tan viejo como otros en la Barcelona que aún conservaba las huellas de identidad de su pasado urbano. Había calles que nunca cambiarían, pequeñas, estrechas, con ropas en los balcones, ventanas mal cerradas, escaleras umbrías con peldaños combados, olores, sensaciones.

Incluso había portería.

Vacía, pero allí estaba.

Primero miró calle arriba y calle abajo, por si percibía una vigilancia policial. Caminó unos metros en un sentido, unos metros en otro, escrutó hasta las sombras de los otros portales o los escaparates de las tiendecitas, una de ultramarinos y otra dedicada a la venta de telas. Una vez seguro se coló en el edificio y subió despacio hasta la tercera planta, esta vez sin entresuelo ni principal. La puerta del piso había sido forzada, o mejor dicho tirada abajo, prueba de que la policía ya había estado allí. Podía darle una patada y colarse dentro.

Se lo pensó.

Entonces se abrió la puerta frontal a la del piso de Roura.

—Buenas. —Fue rápido Miquel.

Un hombre cejijunto, mal iluminado por la penumbra de la escalera, se lo quedó mirando con aire de sospecha. Debió de evaluar su aspecto, su traje, detalles, y decidir que no parecía sospechoso de nada.

Aun así, tardó en responder.

—Buenas.

Se le caería el pelo si metía la pata, si se hacía ver o notar mucho. Pero no tenía otra opción si quería averiguar algo de lo que estaba sucediendo allí, con Mateo muerto y Roura desaparecido.

—¿Sabe algo de su vecino? —preguntó directamente.

El hombre cerró la puerta dispuesto a irse.

—No, no señor.

—¿Estaba usted aquí cuando la policía apareció?

—No, fue de noche. Había ido a pasear con mi mujer aprovechando el buen tiempo. —Frunció el ceño y añadió—: ¿Usted es...?

—Soy de otro departamento —mintió con su viejo aplomo de inspector.

—Ah —dijo el vecino perdiendo la rigidez.

—¿Qué día fue eso? —Miquel señaló la machacada puerta.

—El domingo.

—¿Ayer?

—No, perdone, el anterior.

Mateo y María detenidos el viernes. María libre el sábado. Y la policía arrasaba el piso de Roura el domingo.

—¿Eran amigos?

—No, no, sólo vecinos —quiso dejarlo muy claro.

—¿Qué puede decirme de él?

—Que no me extraña que la policía apareciera.

—¿Por qué?

—Era un exaltado, todo le parecía mal, nunca estaba satisfecho con nada, lo criticaba todo. Un verdadero pesado.

—¿Discutían alguna vez?

—Mire, yo trataba de no coincidir con él, no sé si me entiende.

—¿Sabía que había estado preso al acabar la guerra? —Intentó averiguar de qué cuerda era su interlocutor.

—Sí, me lo dijo. Bueno, se lo decía a todo el mundo. Como si sólo le hubiera pasado algo malo a él. Era un resentido. En lugar de agradecer lo bien que estamos ahora...

—¿Sabe por qué le buscaba la policía?

—No.

—¿Le interrogaron a usted?

—Me hicieron algunas preguntas, sí. Cumplían con su deber. Algo haría ése, seguro. —Movió la barbilla apuntando a la puerta frontal a la suya.

—¿Conocía a algún amigo suyo?

—No.

—¿Virgili, Sunyer, Macià...?

—No, no. ¿A qué viene esto?

—Ya se lo he dicho. Hay más causas contra él. Y de todas formas, aquí las preguntas las hago yo.

Su tono más autoritario fue muy convincente.

—Perdone.

—¿Alguien de la escalera era amigo suyo?

—No creo. —Plegó los labios haciendo una mueca—. Pero puede preguntar. La señora García le cuidó hace un par de meses, cuando estuvo enfermo. Siendo una mujer sola... Vive justo abajo.

—Gracias, siento haberle interrumpido.

—No se preocupe. La gente honrada está para ayudar, ¿no?

Casi pensó que iba a soltarte un «¡Arriba España!».

El vecino de Roura desapareció escaleras abajo. Miquel contó hasta diez y siguió sus pasos. Se detuvo frente a la puerta de la señora García, tomó aire y llamó al picaporte, porque no había timbre. Al otro lado escuchó el suave arrastre de unas zapatillas. El rostro de una mujer de unos cuarenta o cuarenta y cinco años, de buen ver, apareció por el hueco. Llevaba rulos en la cabeza y vestía una bata ciertamente espantosa. Al ver que su visitante era un hombre hizo dos cosas: llevarse una mano al pelo y otra a la parte superior de la bata para cerrarla, como si temiera que se vieran partes prohibidas de su cuerpo.

—¿Señora García?

—Sí. —Sus ojos mostraron preocupación.

—Disculpe la molestia, señora. Se trata de su vecino, el señor Roura.

Apareció el desánimo en su rostro.

—¿Otra vez?

—Lo siento.

—Ya les conté todo lo que sabía, que era más bien nada.

—Serán sólo cinco minutos. ¿Puedo pasar?

—Iba a comer.

Miquel no se movió de la entrada. La mujer acabó resignándose. Se apartó de la puerta, le permitió el acceso a su piso, la cerró y luego abrió la luz del recibidor sin dar un solo paso más.

—¿Qué quiere saber? —Se cruzó de brazos.

—¿Le ha extrañado que la policía busque al señor Roura?

—Sí, claro.

—Tiene fama de meterse en problemas, hablar demasiado...

—¿Y qué quiere que le diga? —Se encogió de hombros—. Cada cual es como es. Nunca me pareció una mala persona.

—¿Eran amigos?

—Vecinos.

—¿Intimó con él?

Era una pregunta muy directa. No se ofendió, pero se notó su envaramiento, el rictus de los labios, la dureza de la mirada. Sin rulos y sin bata, arreglada, maquillada, debía de ser una mujer atractiva. Pepe, el de la imprenta, le había dicho que a veces salían a conocer mujeres. Un hombre soltero de cuarenta y siete años. ¿Tal vez un depredador? ¿O demasiado raro y extrovertido para que una mujer le aguantara?

—¿A qué se refiere? —espetó la señora García.

—A si le hizo alguna confidencia.

—No, ¿por qué iba a hacérmela?

—Usted le cuidó cuando estuvo enfermo.

—Como haría cualquier persona buena y decente con un vecino. —Fue escueta—. Pilló la gripe. ¿Qué iba a hacer? Le vi tan mal que... Subía a prepararle un caldo cada noche, eso es todo.

—¿De qué hablaban?

—De nada en particular. Bueno... —Hizo una pausa y cambió el tono de su voz—. Sí, de cine. Eso siempre. Era una enciclopedia andante y muy romántico. Decía que la vida era igual que una película, pero sin Rita Hayworth. Más o menos se veía a sí mismo como el protagonista de su propia historia, como si el mundo fuese un gran teatro. En ese sentido estaba loco. Se perdió una película en esos días, los de la gripe, y era como si le faltara algo. Casi estuvo a punto de levantarse, con fiebre y todo. No quería dejar de verla. Lamentó más eso que estar enfermo. Solía ir casi siempre al mismo cine, aunque luego creo que lo cerraron por reformas. Pero no sólo iba por las películas. También salía con una de las taquilleras, no sé si por interés personal en ella o para que le dejara entrar gratis. —Forzó una sonrisa irónica.

—¿Eso se lo contó él?

—Es bastante presuntuoso, de los que alardean siempre, y salta de un tema a otro. —Fingió una indiferencia que no parecía sentir—. Me contó que a veces veía las películas en la misma sala de proyección, como un rey, y que luego se reunía con la mujer, la taquillera, en un cuartito contiguo.

—¿No es extraño que le contara eso a una mujer sola y hermosa como usted?

—Gracias. —Se cubrió de un leve rubor—. Ya le digo que alardeaba mucho sin pensar en quién tenía delante o lo que decía.

—Quizá lo hacía para conquistarla.

—Hubiera sido un escándalo vecinal. —Llegó a simular una sonrisa—. No fue el caso. Tampoco era tonto.

—¿Se da cuenta de que habla de él en pasado?

—No creo que vuelva a verle. —Fue más que sincera—. No tengo ni idea del lío en que se habrá metido, pero la policía no va detrás de alguien sin más. Que me extrañe no significa que no sea realista. Si pregunta en la escalera, le dirán que caía mal a todo el mundo.

—¿Es usted viuda?

—Sí, sí señor.

—¿Perdió a su marido en la guerra?

—Sí.

—El señor Roura estuvo preso.

—Lo sé.

—Quedó marcado por eso, imagino.

La señora García no abrió la boca. Sostuvo su mirada tratando de mostrarse impasible.

—No soy de la social, no tema —la tranquilizó Miquel—. Sólo queremos encontrarle.

—Yo no sé nada —expresó con amargura.

—Cuando estuvo enfermo, ¿por qué no le cuidó su madre?

—No quiso llamar a nadie, y menos a su madre. No quería a la familia cerca.

—¿Nadie vino a verle?

—No, que yo sepa.

—¿Le dicen algo los nombres de Pascual Virgili, Maurici Sunyer y Enric Macià?

—Sí, ya le conté a la policía que había ido a ver al señor Virgili por encargo del señor Roura.

—Cuéntemelo ahora a mí.

72

—Se me va a enfriar la comida, ¿sabe?

—Por favor. —Fue amable aunque terminante.

—Bueno, estaba en cama, en lo peor de la fiebre. Me pidió que fuera a ver a ese hombre para decirle que estaba enfermo, nada más.

—¿Por qué no llamarle por teléfono?

—No lo sé. Me pidió el favor y se lo hice.

—¿Para que viniera a verlo?

—No, sólo decirle eso, que tenía la gripe. Me dio una nota. Ponía «Estoy enfermo. Lo siento. Una semana». La leí porque no estaba cerrada. Era una simple hoja de papel doblada.

—¿Eso fue todo?

—Sí.

—¿Adónde llevó esa nota?

—A la consulta del señor Virgili.

—¿Un médico? —se extrañó Miquel.

—Sí.

—¿En lugar de pedir que fuera a visitarlo le envió una nota diciéndole «lo siento» y «una semana»?

—¿Qué quiere que le diga? —Se encogió de hombros.

—Deme las señas de ese doctor.

—Calle Casanova esquina Diputación. No recuerdo el número, pero es en el chaflán, lado montaña bajando a la derecha.

—Gracias por todo. Ha sido usted muy amable. —Inició la retirada.

—Yo no quiero líos, señor.

—No los tendrá, descuide. Pero hemos de investigar.

—¿Tan serio es?

—No lo sabemos.

—Cuando la policía echó la puerta abajo, lo parecía. Fue muy... Ya me entiende.

—Algunos actúan más a la tremenda. Nosotros sólo hacemos preguntas.

—En el fondo no creo que sea más que un pobre hombre, un iluso. —Ensombreció su rostro y llenó sus ojos con una pátina de dolor.

—Así somos la mayoría, hasta que pasa algo —dijo Miquel—. De nuevo le doy las gracias y le pido perdón por haberla entretenido tanto.

Él mismo abrió la puerta del piso.

La última pregunta, inesperada, la hizo desde el rellano.

—¿Cómo es Roura?

—Pues... más o menos de su estatura, metro setenta o así, delgado, nariz prominente, labios alargados, casi de oreja a oreja, cejas espesas, dientes mal puestos...

Miquel se despidió de ella con una sonrisa.

10

La opción de que Esteve Roura estuviera escondido en casa de su madre era absurda. La policía ya habría ido a verla. Lo extraño es que no le hubiera comentado nada a su prima Esperanza.

Quizá vergüenza, o cautela, o miedo...

«¿Y si ya le han cogido?», se preguntó a sí mismo.

No, no le habían cogido. Cuando detuvieron a María le preguntaron por cuatro nombres: Pascual Virgili, Maurici Sunyer, Esteve Roura y Enric Macià. Una semana después, tras decirle que su padre había muerto atropellado, sólo le preguntaron por dos de ellos: Roura y Sunyer.

Eso significaba...

Miró la hora. Virgili era médico y la dirección era la de la consulta. Probablemente estuviese cerrada porque los mortales normales y corrientes solían comer, no embarcarse en investigaciones llenas de misterios e incertidumbres.

Pero si la policía, la segunda vez, le había preguntado a María tan sólo por Roura y Sunyer...

¿Y Virgili y Macià?

¿Detenidos?

Aparcó su lógica policial, incluso sus pensamientos, sin dar nada por sentado antes de cerciorarse, como hacía en sus mejores años en el cuerpo, y buscó un lugar donde pudiera comer algo, un bar o un restaurante.

Se metió en un bar con pinta de tascón, ocupó una mesa próxima al ventanal que daba a la calle y pidió «algo de comer». Pensaba en un bocadillo, o unas tapas, que un día era un día, pero el camarero le soltó una ristra de alternativas que lo dejó en suspenso. Acabó pidiendo las lentejas, que según el hombre eran «muy buenas y caseras». ¿El segundo? Lo decidiría luego si se quedaba con hambre. De beber, agua.

El camarero se fue al trote.

Se quedó solo.

Pensaba mucho en el dinero del 47, cuando le llevó aquella pequeña fortuna a Patro, para que la repartiera entre las chicas del Parador, creyendo que la policía le devolvería a la cárcel por la muerte de Rodrigo Casamajor. Ni la policía había ido a por él, ni Patro repartió aquel dinero. Si ella lo hubiera hecho, no tendrían apenas de qué vivir. Cuando aceptó la invitación de compartir su piso, antes de que se convirtieran en pareja y que de dos mitades rotas naciera una familia, el dinero representó la estabilidad. No dependían del racionamiento, pero en muchas ocasiones Patro y él habían de aparentar las mismas dificultades que la mayoría. Compraban en el mercado negro, de contrabando, de estraperlo, regresaban a casa a horas poco habituales para no tropezarse con nadie, y no tiraban nada a la basura que pudiera delatarles ante cualquier vecina chismosa. Alguna noche metían la basura envuelta en periódicos y la abandonaban lo más lejos posible. Tal vez pecase de precavido, pero por algo había sido policía.

Instinto.

El instinto siempre era la mejor de las salvaguardas.

Eso y la cautela.

Antes no quería vivir. Ahora sí. Para los vecinos ya eran una «pareja normal». Podían criticar que él tuviera más del doble de la edad de su mujer, pero nada más.

Así que cuando aterrizó el plato de lentejas delante de él, no se sintió culpable.

Tenía apetito.

Dio cuenta de las lentejas en unos minutos. Mojando pan. Eso sí era un placer terrenal. Un plato de lentejas y pan para mojar, aunque fuese del malo. El camarero tenía razón; eran caseras y muy buenas. No dejó ni las migas. La idea de acabar de llenar el estómago con carne o pescado ya no le hizo tanta gracia, porque estaba repleto. Nunca fue de mucho comer. Se hinchaba enseguida.

Aunque Patro jamás le dijera que estaba gordo, o viejo, o...

Bendita Patro.

Si le hubiera dicho alguien en el Valle de los Caídos que sería capaz de hacer el amor casi a diario, o al menos tres veces a la semana, se habría echado a reír.

Un mal chiste.

El amor tenía esas cosas: hacía milagros.

Al pensar en el amor recordó la libreta de Mateo Galvany.

La sacó del bolsillo de su chaqueta y pasó algunas páginas. Sus ojos leyeron líneas sueltas, esbozos, fragmentos inacabados, versos, hasta que acabó atrapado por la fuerza de algunos de ellos y se olvidó de todo lo demás.

Allí estaba su amigo Mateo.

El «otro» Mateo.

El romántico, el desconocido, el hombre enamorado de una abuelita de sesenta y cinco años, todavía furioso, cien por cien lúcido.

Leyó tres poemas de distinto calado.

Siento rabia.
La furia de la tormenta
interior.
Lengua de fuego que me devora,
consume.
Rabia del tiempo perdido.
Rabia de tanta ausencia.

Cada luna es una noche que se ha ido.
Ningún sol te da calor
bajo el hielo de la muerte.

Los muros del silencio
tienen las puertas cerradas
a ambos lados del vacío.
Tu grito es la llave.
Tu alarido la polea.
Que el sueño no te venza.
Los muros aplastan.

Canción.
Desesperada.
No contada ni gastada.
Dormida.
En el sur de los sentidos.
Callada.
Como sueños sin dueños.
Sentimientos heridos.
A la espera.
Del desafío.
Que los convierta en balada.
Dueto, sino.
Canción enamorada.
Encadenada.
A nuestro destino.

Aquello lo había escrito la misma mano que en sus días de inspector rudo y duro había sido el terror de los chorizos de media Barcelona. Aquello le había salido del corazón al hombre que, siete meses antes, le habló con la desesperanza de la derrota. Aquello formaba parte del presente del camarada que un día le había salvado la vida, cuando ambos jamás hubieran imaginado su futuro, la guerra, las pérdidas, la soledad.

Quizá no se acostase con Esperanza Sistachs ni tuvieran relaciones más allá de la amistad más íntima, pero eso daba lo mismo ante la fuerza de aquellos versos encadenados.

Unos poemas de amor, otros de resistencia...

Soy un hombre escondido
  en mi sombra, quieta espera.
Atravesado por vacíos
  silenciosos, noche entera.
Soy un hombre de paciencias
  infinitas, corazón de plata.
Desbordado de ternuras
  vivas, que el tiempo mata.

Soy un hombre plantado
  en una maceta, que mira.
Volando sin alas
  muy alto, por lo que aspira.
Soy un hombre que camina
  de espaldas, el payaso.
Buscando horizontes nuevos
  y soñando, por si acaso.

Soy un hombre cargado
  de emociones, sin gastar.
Viviré mil años y después
  caeré, volviendo a empezar.
Soy un hombre de esperanzas
  eternas, mientras exista.
No dejaré que me alcancen
  nunca, será mi conquista.

Leyó más y más páginas. Mateo se lo había tomado en serio. Aquella libreta venía a ser un testamento vital. Cuando se dio cuenta de que el tiempo pasaba más aprisa de lo normal ojeó el resto a mayor velocidad. La última página estaba llena de dibujos hechos al azar, corazones, letras mayúsculas, palabras diversas, anotaciones sueltas, algunas ilegibles.

Vio una fecha.

31-5.

31 de mayo.

Eso era el día siguiente.

También encontró un número de teléfono escrito con trazos rápidos.

Del resto no sacó nada en claro. Palabras, como si se entretuviera escribiéndolas de manera maquinal mientras hacía otra cosa.

—¡Camarero! —Levantó la mano al ver pasar al hombre a un par de metros.

—¿Señor?

—¿Tienen teléfono?

—Sí, ahí, al final de la barra.

—¿Me da una ficha y me dice cuánto es todo?

—¿No quiere un cafecito?

—No, gracias.

El camarero se dirigió a la barra. Se metió tras ella y puso una ficha en el mostrador. Miquel la tomó y caminó hasta el aparato, insertó la ficha y marcó aquel número.

Al otro lado el timbre sonó una docena de veces.

Recuperó la ficha y ya no se la devolvió al camarero, porque la nota estaba preparada con ella incluida. Afortunadamente había salido de casa con más de cien pesetas y algo suelto. Siempre prefería llevar de más, por si acaso, por si un día tenía que salir corriendo. Pagó las lentejas con gusto.

—Buenísimas. —Movió la cabeza de arriba abajo.

—Pues ya sabe que aquí estamos, señor.

Se llevó el cambio y le dejó unos céntimos de propina. Cuando se asomó por la puerta se encontró con el mismo sol duro y fuerte de la mañana. Levantó la cabeza y dejó que los rayos le penetraran.

Mateo, en su nicho, ya nunca sentiría lo mismo.

—¿Quiénes eran esos cuatro? —le preguntó a una nube próxima a cubrir el sol—. ¿Y en qué andabas metido, viejo zorro?

11

La consulta de Pascual Virgili era mixta, no individual. En la placa de la calle, junto a la puerta del edificio, podía leerse: PASCUAL VIRGILI CREIXELL, CARDIOLOGÍA – ROSENDO ROCAMORA GISPERT, NEUMOLOGÍA. El piso era el entresuelo. Cruzó la entrada y no tuvo que decirle al portero, que le estudió desde su caseta, adónde iba. A lo largo de cada día, por allí debían desfilar no pocas personas para visitar a los dos médicos. Se preguntó qué pensaría el hombre de ellas. O de él. ¿Le vería ya con un pie en la tumba? Enfermedades coronarias y pulmonares eran sinónimo de recta final.

Le deseó buenas tardes y subió el tramo de escalera más aprisa de lo normal.

Una segunda placa, ésta de metal dorado, presidía la puerta del piso. No estaba cerrada. Apoyó la mano derecha en la madera y la empujó suavemente. Al otro lado se encontró con una recepción de tipo hospitalario, aséptica, paredes blancas, enfermera incluida. Era una mujer treintañera, rostro afilado, rasgos firmes. La cofia era más propia de un hábito religioso, porque tenía alas a los lados. Llevaba un relojito prendido del pecho y sujeto con una cadena. Nada más verle aparecer, levantó la cabeza y le sonrió.

Una hermosa sonrisa llena de blancos y perfectos dientes.

—Buenas tardes. —Ladeó la cabeza esperando que llegara hasta el mostrador.

—Buenas tardes —la correspondió él—. ¿El doctor Virgili, por favor?

La sonrisa no desapareció de su rostro.

Sólo se congeló.

Y con ella, los ojos perdieron toda emoción, cordialidad o lo que fuese con lo que recibiera a los pacientes.

—¿Tenía una cita concertada? —Logró mantener su eficiencia.

—No, no, es particular.

—Entonces... Lo siento, pero...

—¿Sí?

—Verá, señor... —Vaciló ya rendida sin saber cómo darle la noticia—. El doctor Virgili... murió.

Quizá lo esperase. O quizá no.

Mateo muerto, Roura desaparecido, Virgili muerto.

Y todavía le faltaban dos.

—¿Cuándo...?

—El lunes pasado... —Se movió inquieta en su silla—. Bueno, creo.

—¿Por qué dice que lo cree?

La mujer no respondió a su pregunta. En su mirada vio consternación, dudas, miedo.

—¿Cómo murió? —No dejó la presión él.

—No puedo responderle a eso, señor.

—¿Por qué?

Estiró el cuerpo. Ya no sonreía. Levantó la cabeza y sus senos quedaron marcados por lo ajustado de su uniforme blanco. No llevaba anillo de casada, pero sí de prometida.

—No puedo, eso es todo. —Se mantuvo firme.

Miquel no tuvo tiempo de reaccionar. Se abrió la puerta de su izquierda y por ella apareció un hombre de mediana edad, cabello negro, con una bata blanca, una pluma sujeta al bolsillo superior y unas gafas ciertamente aparatosas. Al verle a él perdió el empuje inicial y centró su atención en la enfermera.

—Doctor Rocamora, este señor pregunta por el doctor Virgili. Ya le he dicho que...

—¿Es paciente suyo? —El aparecido no esperó a que ella terminara la frase y le tendió la mano—. Puedo recomendarle a otro médico y pasarle su expediente, ¿señor...?

—No, no era paciente suyo. —Correspondió a su apretón de manos por cortesía sin darle su nombre—. Investigo la muerte de un amigo común.

—No entiendo. —El médico centró mejor sus ojos en él a través de sus gafas—. ¿Dice que investiga una muerte?

—Mateo Galvany.

—No me suena. —Pareció sincero.

—¿Y Esteve Roura?

—Tampoco.

—El señor Roura le mandó un mensaje al doctor Virgili hace un par de meses. —Miró a la enfermera—. Imagino que usted lo recordará.

—No, lo siento —dijo ella.

—¿Quién es usted? —quiso saber Rosendo Rocamora.

Hora de pisar fuerte.

Ya qué más daba.

—¿He de mostrarle mi credencial? —dijo con sequedad.

—No, no, perdone. —El hombre se echó un poco hacia atrás.

—¿Cómo murió el doctor Virgili?

—Ustedes deberían saberlo, ¿no? —Tuvo un atisbo de resistencia.

—¿Por qué?

—Porque murió en la comisaría.

Se mantuvo frío y firme. En su papel. No le fue fácil. Si la cosa se complicaba y el doctor Rocamora le describía, acabaría de vuelta al Valle de cabeza.

O, según de qué se tratara todo aquello, en un paredón.

Centró las preguntas.

—¿Qué les dijo la policía?

—Nada. Yo me enteré dos días después, por su esposa.

—¿Le sorprendió que le detuvieran?

—Sí, por supuesto.

—¿Era muy amigo suyo?

—Bueno, estudiamos juntos. Luego nos reencontramos tras la guerra y decidimos montar esto los dos. —Abarcó la consulta con ambas manos—. Amigos, lo que se dice amigos, no. Sólo socios.

—¿De verdad no tiene ni idea de por qué le detuvieron?

—No, no señor. Cada cual llevaba su propia vida fuera de aquí. Además, lo hicieron en su casa.

Debía de ser un buen médico, entregado y responsable. Su voz poseía calidez, lo mejor para decirle a alguien que tenía un tumor o que se iba a morir. La muerte de su socio habría representado un duro golpe para él y para su pequeño negocio.

Se quedó sin preguntas.

Mejor dicho, le quedaba una, pero prefirió esperar.

—Está bien, gracias —se despidió—. Lamento haberle molestado.

—No es molestia, señor. Si es para ayudar a la ley... A su disposición.

Miquel dio media vuelta, abrió la puerta y salió de la recepción. Una vez cerrada, no se apartó mucho de ella. Aplicó la oreja a la madera y casi dejó de respirar. Por suerte las voces del médico y la enfermera le llegaron de forma nítida.

—Pobre doctor Virgili —dijo la mujer.

—Venga, Martina, no vuelva a llorar, ¿quiere?

—Es que es muy triste.

—Si al menos supiéramos de qué va lo que sea que haya pasado o en qué andaba metido... —exclamó su jefe.

—Esto no terminará así como así, ¿verdad?

—Espero que sí, ¿qué quiere que hagamos?

—Ya, es que...

—Ande, tranquilícese, que tenemos una buena tarde como para andar perdiendo el tiempo.

—¿Le paso la primera visita?

—Sí, gracias.

Dejaron de hablar. Primero escuchó un movimiento, la silla desplazándose. Luego el susurro de Martina, probablemente dirigiéndose a alguien en la sala de espera. Por último, un minuto más tarde, otra vez el ruido de la silla al ser ocupada de nuevo.

Empujó la puerta por segunda vez.

Martina se quedó rígida al verle.

—Deme la dirección del doctor Virgili. —Se plantó delante de ella igual que un vendaval inesperado.

No le dio tiempo a nada, ni a pensar siquiera. Su voz era conminante y seca. La voz de un policía acostumbrado a mandar y hacerse respetar.

Temer.

—Es... aquí cerca. —La enfermera tembló—. Aribau 31. ¿Quiere que se lo anote?

—No, gracias.

—Bien, señor.

Lamentó haberla asustado. Y todavía más cuando ella, con los ojos vidriosos, le miró y le dijo:

—El doctor Virgili era muy buena persona, ¿sabe? No sé lo que crean que ha hecho, pero... Él no era capaz de nada malo. Los pacientes le querían mucho. Esto es... absurdo...

Le cayeron dos lágrimas.

Lealtad y valor.

Tuvo deseos de rodear el mostrador y abrazarla.

—Usted sí es una buena mujer —asintió.

La dejó así, mitad llorosa mitad contenida.

Pero sin una sonrisa en los labios.

Volvía a ser un policía y la mayoría de los mortales se asustaban sin más ante eso.

12

La distancia hasta la casa de Pascual Virgili era de dos manzanas. Cuando trabajaba en la policía usaba el coche oficial, aunque caminar, muchas veces, le ayudaba a pensar. Ya en la guerra, con necesidades más urgentes, comenzó a utilizar las piernas para ir de un lado a otro. Ahora, si investigaba algo, iba en taxi.

Demencial.

Pero el tiempo siempre apremiaba en casos de asesinato. La mayoría de los delitos de sangre se resolvían en las siguientes cuarenta y ocho horas, cuando todo estaba fresco y reciente.

El edificio era elegante, como se correspondía con la zona, junto a la Universidad y a tiro de piedra de la plaza de Cataluña. Se introdujo en el portal y pasó junto al receptáculo de la portería, vacío, quizá por la hora o porque quien la atendiera estuviese ocupada en otras labores vecinales. Lo malo era que la enfermera no le había dicho el piso, así que se vio obligado a llamar a una puerta al azar y preguntar. Una joven adolescente se lo indicó y, como se trataba de un piso alto, bajó de nuevo al vestíbulo para tomar el ascensor. El camarín, de madera noble, subió despacio. Una vez en la planta llamó al timbre y esperó.

Le abrió una criada que fácilmente hubiese podido actuar en El Molino, por guapa, voluptuosa y pizpireta. Incluso tenía voz de tiple. Eso sí, no le sonrió para nada.

—¿La señora Virgili?

—¿De parte de quién, señor? —le preguntó con marcado acento sureño.

—Un amigo de su marido.

La muchacha no pareció muy convencida. Movió un poco las comisuras de los labios y sus ojos se revistieron de cierta incomodidad.

—Iré a ver, pero... Es que la señora no se encuentra bien, ¿sabe usted?

—Lo entiendo. —Utilizó su tono más amable y convincente—. Dígale que es importante y urgente, y que no la molestaré mucho.

—Bueno, pase y espere aquí, si no le importa.

—En absoluto.

Lo dejó en el recibidor, con la luz encendida. Un recibidor grande como una habitación y lleno de cosas, la mayoría antiguas. El piso quizá pertenecía o hubiera pertenecido a los padres de Pascual Virgili o de su esposa. Tenía aire de los años veinte o treinta. Una columna de mármol con un aparatoso jarrón encima, un retrato de una señora enjundiosa, una mesa ratona con adornos y una bandeja de plata para dejar llaves o monedas, un paragüero con varios paraguas, un armarito para poner los zapatos mojados, chanclos o abrigos...

Mateo no tenía nada. Esteve Roura era un tipo peculiar que tampoco vivía entre lujos. Pascual Virgili, en cambio, daba la impresión de ser alguien notable, por ser médico o por proceder de una buena familia.

¿Qué podía unirles?

Y aún no sabía nada de Macià y de Sunyer.

¿Y si, después de todo, no hacía más que seguir una pista falsa?

No, falsa no. La policía no preguntaba por cuatro personas sin más. Ellos y Mateo tenían algo juntos.

¿Qué?

La criada regresó al cabo de un minuto, seria.

—¿Quiere usted seguirme, por favor?

La siguió.

No mucho. Cinco pasos. Le abrió una puerta a la derecha y le hizo pasar a una especie de salita, estudio o biblioteca. Tal vez las tres cosas juntas, porque había dos butacas muy cómodas para leer, una mesa de despacho sin nada encima y muchos libros en los muebles que llenaban las cuatro paredes. La ventana daba a un patio interior, y por dentro la cubría una cortina, así que la iluminación era mortecina. La joven hizo girar la llave de la luz eléctrica, junto a la puerta, y una lámpara cenital desparramó su escasa potencia por el conjunto.

No se sentó.

Había algo más, entre las dos butacas.

Un ajedrez.

Un bello, bellísimo ajedrez hecho de marfil, con las figuras talladas por una mano de orfebre repartidas, a punto de empezar una partida, por encima de un tablero no menos espectacular.

Tomó una y la contempló.

El caballo negro.

Lo dejó justo a tiempo, cuando escuchó un rumor al otro lado de la puerta. Por ella apareció una mujer de unos cuarenta o cuarenta y cinco años, vestida de negro, frágil, piel de porcelana, muy blanca, cabello perfecto, manos cuidadas. Vestía con exquisito gusto. No iba vestida de estar por casa. Era una dama.

Una dama a la que la policía le había arrebatado media vida.

—Me llamo Miquel Mascarell, señora Virgili. —Le tendió la mano—. Ante todo permítame que le dé mi más sentido pésame.

—Gracias. —Correspondió a su gesto con un apretón muy suave.

—No creo que su marido le hablara de mí.

—No, no recuerdo... Siéntese, por favor.

La obedeció. Ocupó una de las butacas, la que tenía las piezas de ajedrez negras más próximas. Había dejado el caballo ligeramente torcido con relación al resto y se le antojó que se notaba mucho.

No hizo nada.

—Necesito hacerle unas preguntas, señora. —No quiso entrar a saco en su interrogatorio.

—¿Acerca de qué?

—De lo que le sucedió a su marido.

—¿Por qué? —Sus ojos crepitaron llenándose de lucecitas.

—Porque su marido no es el único que ha muerto.

—No le entiendo.

—¿Conoce a unos hombres llamados Maurici Sunyer, Esteve Roura, Enric Macià o Mateo Galvany?

Las lucecitas se endurecieron.

No hubo respuesta.

—La policía le preguntó por ellos cuando se lo llevaron, ¿verdad?

—Cuando se lo llevaron no. Después sí, con él ya muerto. Pero sólo mencionaron a los tres primeros que ha citado usted.

—¿Mateo Galvany no?

—No.

—¿Usted...?

—Era la primera vez que los oía. Oiga... —Frunció el ceño adentrándose en un mar de dolor—. ¿Cómo sabe usted...?

—No se alarme, se lo ruego. Su marido y yo teníamos un amigo común, precisamente ese del cual la policía no le habló: Mateo Galvany. —Hizo una pausa muy breve para que sus palabras fueran penetrando una a una en la aturdida mente de su interlocutora—. Mi amigo Mateo murió ayer violentamente.

—Jesús... —Suspiró.

—Estoy buscando la relación entre ambos sucesos, señora Virgili. Usted ha perdido a su esposo. La hija del señor Galvany a su padre. Nadie nos dice nada, porque imagino que la policía no le dijo mucho acerca de lo sucedido.

—No, nada. —Apretó las mandíbulas.

—Un tercer amigo, Esteve Roura, ha desaparecido. Fueron a por él pero escapó, o tuvo suerte o lo intuyó, pero lo cierto es que creo que sigue huido. Aún no sé nada de Macià ni de Sunyer.

—¿Está investigando por su cuenta?

—Sí.

—¿No es algo peligroso?

—Mateo era una persona muy querida por mí. —Se lo repitió—. Quiero saber por qué murió, sólo eso. ¿Usted no desea saber por qué lo hizo su marido?

La señora Virgili hundió los ojos en el suelo. Como por arte de magia, en sus manos apareció un pañuelito blanco, de encaje. Miquel dedujo que lo llevaba metido en una de las mangas. Se lo llevó primero a los ojos y secó un atisbo de lágrima en cada uno de ellos. Luego se frotó la nariz.

—Yo no sabía nada de la vida profesional de Pascual, y en lo privado y personal, ninguna de esas personas me dice nada. Sea como sea, él era una persona... maravillosa, digna, entregada a su trabajo al cien por cien. Es absurdo que se metiera en cualquier clase de problema. Absurdo y demencial. Les dije a los policías que tenía que ser un error, pero ni me escucharon. Por Dios... El padre de Pascual era una eminencia, Constantino Virgili, ¿le suena?

—Fue un gran cirujano —asintió él.

—Exacto. Y Pascual heredó su talento para la medicina, aunque la guerra cambiara tantas cosas que luego... —Soltó una bocanada de aire—. Esto ha sido una pesadilla, señor...

—Mascarell, Miquel Mascarell.

—Pues esto ha sido una pesadilla, señor Mascarell. Y el resultado es que ha muerto una buena persona.

—¿Cuándo se llevaron a su marido?

—El domingo 22.

—¿Fue aquí?

—Sí, y lo registraron todo. —Abarcó con las manos la estancia en la que se encontraban—. Pasamos varios días volviendo a poner todo en su lugar. Al menos lo que no rompieron.

—¿Encontraron algo?

—¿Qué iban a encontrar? ¡Nada!

—¿Qué le dijo él?

—No pudo ni despedirse, señor. La última vez que le vi le llevaban sujeto entre tres agentes, como un perro apaleado, sangrando por la nariz y con la mirada extraviada. Lo único que decía una y otra vez era que no nos hicieran daño a nosotros. El lunes ya había muerto. A mí me lo comunicaron el martes.

—¿Cómo murió?

—Oficialmente fue un infarto cuando le interrogaban.

—¿Les creyó?

Volvieron las lágrimas, esta vez imparables. Miquel la dejó sobreponerse. Reapareció el pañuelito.

—Mi marido no era un hombre fuerte. Toda la vida dedicado al estudio y a su trabajo... De carácter sí lo era, de cuerpo no. —Hundió en su visitante una mirada desprovista de alma—. Sí, pudo ser un infarto, pero no me lo dejaron ni ver. El ataúd ya estaba sellado cuando yo llegué al hospital. Todo muy rápido. ¿Un infarto? —lo dijo con hiriente sarcasmo—. ¿Quién se atreve a discutir a la policía en estos tiempos?

—¿Cree que le torturaron?

Las lágrimas rodaron por sus mejillas.

—Perdone.

La señora Virgili movió la cabeza de lado a lado.

—Llevo tantos días pensando en esto, que ya...

—¿La policía ha vuelto a venir?

—No.

—¿De verdad no tiene ni la más remota idea de qué pueda tratarse todo esto?

—Se lo repito: no.

Seguía fallando algo. El nexo entre ellos. A falta de Macià y de Sunyer, entre Roura, Virgili y Mateo Galvany.

—¿Su marido luchó en la guerra?

—No luchó, pero estuvo en el frente, como médico, claro.

—¿Le encarcelaron, represaliaron...?

—Estuvo en el bando nacional.

No lo esperaba. Incluso él lo acusó.

—El Alzamiento le sorprendió en Sevilla. No pudo regresar a tiempo. Se lo llevaron e hizo lo que siempre había hecho. Lo único que sabía hacer: curar a la gente.

—¿Era republicano?

No hubo respuesta. Sólo una mirada más.

Cómplice.

—¿Usted estuvo en Barcelona, señora?

—Sí.

—¿Cuándo se reunieron?

—Al acabar la guerra. ¿Usted...?

—Salí en julio del 47 después de ocho años y medio de trabajos forzados en el Valle de los Caídos.

El interrogatorio había desembocado en un callejón sin salida. Las últimas preguntas buscaban un giro, una sorpresa, algo a lo que agarrarse, pero el resultado era el mismo: nada.

La señora Virgili parecía cansada.

—Siento no poder hacer mucho más para ayudarle.

—Y yo haberla molestado.

—Ese hombre, su amigo...

—Lo atropelló un coche y el conductor se dio a la fuga. Su hija está segura de que lo mataron.

—¿A qué se dedicaba?

—Fue inspector de policía. Estaba retirado desde el 35. Tenía setenta y seis años.

—No veo qué relación pudiese tener con Pascual.

—Puede que ninguno de los dos fuese feliz.

—¿Por qué no habrían de serlo? —Levantó la cabeza y su mirada se hizo imprecisa.

—Esto es una dictadura —se arriesgó.

—¿Cree que le detuvieron por algo... político?

—¿Qué si no?

Fue igual que si la hubiera golpeado. La señora Virgili se dejó caer hacia atrás. Hasta ese momento había hablado sentada en el borde de la butaca, con las rodillas muy juntas y las manos apoyadas en ellas, el cuerpo ligeramente encorvado, doblado hacia delante.

Miró a su visitante con otra expresión.

La del desconcierto mezclado con rabia.

—¿Puedo pedirle un favor?

—Sí, por supuesto.

—Si averigua algo, lo que sea, ¿podrá volver y contármelo?

—Lo haré.

—Sí, tiene razón, me gustaría saber por qué murió Pascual, y decírselo a nuestros hijos, para que un día estén orgullosos de su padre. —Su voz fue ahora muy firme, renacida—. Por lo menos si murió por una causa en la que creía.

Todo estaba dicho.

Y con ella desaparecía su última pista para encontrar a Macià y a Sunyer o averiguar por qué la policía iba tras ellos.

Miquel deslizó sus ojos hacia el ajedrez. El caballo negro seguía ligeramente torcido. No pudo evitarlo. Desplazó su mano y lo enderezó.

Su comentario fue de lo más trivial.

—Es precioso.

—Su favorito —dijo ella—. Tiene un montón de años, más de doscientos. Se lo trajeron a su padre de la India. De todas formas aquí jugaba muy poco. Prefería el club. Nunca fallaba los lunes, miércoles y viernes.

Miquel escuchó la campanita en su cabeza.

—¿Iba a un club de ajedrez?

—Sí.

—¿Sabe cuál?

—Claro, el Goya. No recuerdo la calle porque está en la misma esquina, sobre el teatro, pero da a la Ronda de San Antonio, frente a la plaza de Goya.

Miquel se puso en pie.

—Ha sido muy amable y paciente, señora. —La ayudó a incorporarse tendiéndole la mano.

13

Mateo jugaba al ajedrez. Y lo hacía en un club. Por lo menos tenía en su casa un recibo reciente, del mes de abril.

¿Por qué no había mirado el nombre?

¿El mismo club Goya de Pascual Virgili?

Un nexo.

Inesperado pero...

Cuando era inspector decían que tenía suerte, que sacaba oro de las piedras. Él respondía que no, que era minucioso, sólo eso. Y, por supuesto, intuitivo. El buen interrogador escoge las palabras, interpreta los gestos, evalúa las reacciones, paciente, sin prisas. Preguntas y preguntas. Una cosa lleva a la otra. Cada pequeña pista surge de realizar cien preguntas, algunas importantes, otras no tanto en apariencia. La suma debe dar el mayor número de respuestas positivas.

Esa habilidad no se perdía ni con los años.

Así había encontrado aquella tumba en octubre pasado.

Un pequeño, pequeñísimo indicio de última hora en una horrible sala de interrogatorios de la cárcel Modelo.

Su último «trabajo».

¿Cuándo se había interesado Mateo por el ajedrez?

Caminó calle Aribau abajo. Su destino no estaba lejos y encima, sin darse cuenta, apretó el paso, víctima de su afán por saber si estaba en lo cierto. Si Patro le viera...

Se suponía que estaba tranquilo, en casa.

Cruzó la plaza de la Universidad y tomó la Ronda de San Antonio. El club de ajedrez Goya estaba situado sobre el teatro del mismo nombre. Buscó la entrada y subió el tramo de escaleras hasta la primera planta. Para ser un lunes y primera hora de la tarde, estaba bastante lleno. Una docena y media de jugadores o espectadores. Casi todos eran personas mayores, cuerpos obesos, cabezas canosas o calvas, alguna boina, bastones... Todo hombres. El silencio dominaba el ambiente. El grupo más numeroso rodeaba una mesa en la que dos contendientes estudiaban sus próximos movimientos. En otras cuatro mesas sólo estaban los jugadores. Quizá cuando la tarde avanzaba los jubilados u ociosos daban paso a los más jóvenes.

El ajedrez era el juego de los juegos.

Él lo jugaba con su hermano, y enseñó a Roger.

Tuvo que quemar el suyo, de madera, para calentarse a finales del 38.

No supo a quién dirigirse, así que no tuvo más remedio que molestar a un hombre que acababa de comerle una torre a su rival.

—¿El encargado o alguien que se ocupe de...?

Ni una palabra. Ni levantar los ojos del juego. Sólo el gesto, con la mano.

Una puerta.

Miquel le dio las gracias y caminó hacia ella. No supo si llamar con los nudillos. Decidió que no, porque cualquier ruido podía molestar la concentración de aquellos obsesos de las sesenta y cuatro casillas. Puso una mano en el pomo y lo hizo girar.

Al otro lado, leyendo una novela barata, se encontró con un hombre no muy alto, bigote negro, vestido con pantalones a rayas, tirantes y camisa blanca. Nada más verle aparecer dejó la novela y se puso en pie. Expandió una abierta sonrisa en su rostro.

—Buenas tardes.

—¡Buenas, pase, pase!

Se estrecharon la mano. Miquel paseó una rápida mirada por el entorno. Diplomas, un mueble-librería con decenas de libros de ajedrez, algunas copas, fotos de torneos y campeones... En una esquina, al otro lado de la mesa de despacho, había dos sillones muy gastados y una mesita muy baja, alargada, con un ajedrez como único adorno.

Lo más probable fuese que la policía ya hubiese estado allí.

Si no era así, les llevaría una pequeña ventaja.

O grande.

—¿Quiere ser socio, señor? —Rompió el fuego el encargado del club.

Miquel se sentó en una de las sillas. El hombre lo hizo en una esquina de la mesa, casi a su lado.

—Disculpe que me tome la libertad. Es que con este calor, caminas un poco... —se excusó.

—¿Quiere un vaso de agua?

—No, gracias. —Fue directo al grano—. En realidad venía por dos de sus socios muertos.

—¿Muertos? —Al hombre le cambió la cara—. ¡Caray!, ¿qué me dice? ¿Quién se ha muerto?

—Los señores Galvany y Virgili.

Si hubiera podido, hubiera cruzado los dedos.

El encargado se quedó blanco.

—¿El señor Virgili... ha muerto? —balbuceó.

—Sí.

—Madre del Amor Hermoso. —Suspiró boquiabierto—. ¿Cuándo?

—Hace una semana. Y el señor Galvany, ayer.

—Pero ¿qué me dice? ¿Los dos? ¡Por la Santísima Trinidad! —Tuvo que abandonar su incómoda postura para sentarse en su silla, tras la mesa, completamente abatido—. ¡Pobre señor Virgili!

—¿Y qué me dice del señor Galvany?

—Bueno, él era un socio reciente. Apenas si habíamos hablado mucho. No le tenía la confianza ni el mismo aprecio que al señor Virgili, que era de los veteranos. De antes de la guerra y todo. Y gran jugador. Mucho. Porque no buscaba la gloria ni competir en torneos, que si no...

—¿Son también socios los señores Maurici Sunyer, Enric Macià y Esteve Roura?

Por primera vez se dio cuenta de que estaba siendo sometido a un interrogatorio. Amable y distendido, pero interrogatorio al fin y al cabo.

—¿Quién es usted? —quiso saber.

—Investigo sus muertes.

—No me diga. ¿Por qué?

—Al señor Galvany lo atropellaron violentamente, y no fue algo accidental. Al señor Virgili lo detuvo la policía.

Se quedó otra vez blanco. Después de mentar a la «Madre del Amor Hermoso» y a la «Santísima Trinidad», continuó haciendo uso de las figuras y formas religiosas.

—¡Por los clavos de Cristo! ¿La policía? ¿Qué me está diciendo? ¡Pero si el señor Virgili era todo un caballero! ¡Y médico! ¿Por qué iba la policía a detenerlo?

—Es lo que estoy tratando de averiguar, porque lo que son ellos, no han dicho nada. Ni a su esposa.

—¿Es usted detective, como en las películas?

Era tan bueno eso como cualquier otra excusa con tal de seguir haciéndole preguntas.

—Sí.

—¿Lleva pistola?

—No. Esto no es Hollywood.

—Claro, claro.

—¿Puede responder a mi pregunta?

—¿Qué pregunta?

—Si son también socios los señores Maurici Sunyer, Enric Macià y Esteve Roura.

—Los dos últimos sí.

—¿Sunyer no?

—No, no me suena ese nombre. ¿Ha dicho Maurici?

—Sí.

Hizo memoria.

—No, no, seguro. No tenemos ningún Sunyer.

—¿Y los otros cuatro son amigos? ¿Los ha visto jugar?

—Amigos no sé, pero jugar sí. Aunque a veces también se reúnen para hablar, antes o después de una partida. Muchos socios lo hacen, comentan cosas, se relajan, toman un cafecito...

—¿Cuándo suelen venir?

—Bueno, el señor Virgili lo hacía lunes, miércoles y viernes, fijo. Era el más veterano. Roura y Macià últimamente también vienen esos días, para coincidir todos, aunque ahora que lo dice...

—¿Sí?

—Me doy cuenta de que hace al menos una semana que ninguno de ellos ha aparecido por aquí. —Abrió los ojos al comprender el alcance de lo que estaba diciendo—. ¿No me dirá que también les ha pasado algo a ellos?

—¿Tienen fichas de sus socios? —Pasó por alto su pregunta.

—Sí, claro.

—¿Podría verlas?

—No sé si eso... Ya me entiende.

—¿Hay algo privado en ellas?

—No, no, pero... En algunas anotamos los torneos en que participan, las partidas ganadas o perdidas, cosas así.

—Eso a mí me da igual. Déjeme verlas, por favor. —Empleó su tono más directo y firme.

El encargado se levantó y cubrió los tres pasos que le separaban de un viejo fichero de madera, situado sobre otra mesa repleta de papeles y carpetas. Lo abrió y buscó las cuatro fichas, una en la parte superior y tres en la inferior. Regresó con ellas y se las tendió a su visitante.

Estaban escritas a mano, y tenían un sinfín de anotaciones al dorso.

—No podrá llevárselas, claro —le hizo ver el hombre.

—Lo sé. No pensaba hacerlo —le tranquilizó.

Leyó primero la de Macià. Memorizó su dirección. Ya sólo le faltaba Sunyer, el único de ellos que no jugaba al ajedrez allí. Un dato curioso si es que los cinco tenían que ver entre sí y el club era su punto neurálgico de reunión, como todo parecía indicar. Sin importarle la mirada expectante del encargado del local, se tomó su tiempo en busca de algo, lo que fuera, cualquier pequeño detalle que le ayudara.

Pronto comprendió que no iba a encontrar nada.

Las fichas eran muy completas, con algunos comentarios personales y apreciaciones sobre el juego y el comportamiento de los socios. Virgili era muy bueno, el mejor de todos. Luego Macià. A Roura le perdía la impaciencia. Eso y que no paraba de hablar. Su ficha decía: «No se le puede llevar a torneos. Da mala imagen por hablador y belicoso». Galvany apenas tenía un par de líneas. Le hizo gracia la descripción: «Jugador oxidado». Y tanto. Virgili era socio desde el año 31, Macià del 34, Roura desde el 43 y Mateo tenía como fecha de alta el pasado 19 de abril.

Había conocido a Esteve Roura en casa de Esperanza Sistachs el día 3 del mismo mes.

Lo más sorprendente era que el cinéfilo Roura también jugase al ajedrez.

Un tipo de lo más curioso.

—¿Les oyó hablar alguna vez? —Reanudó las preguntas mientras dejaba las cuatro fichas sobre la mesa.

—No, no.

—¿Conocía sus ideas políticas?

—Esto es un club de ajedrez, señor. —Se puso muy serio—. La política no tiene nada que ver.

—Roura era de los que no se cortaba un pelo al hablar.

—¿Qué quiere que le diga? Si alguna vez lo hacía, ya se encargaban los otros de hacerle callar.

—¿Estos dos últimos meses hablaban más que jugaban?

El encargado se quedó mudo.

Pensativo.

—Ahora que lo dice... —Frunció el ceño.

—¿Desde que apareció el señor Galvany?

—Sí, sí, es posible. —Reflexionó con la frente llena de arrugas.

—¿Dónde hablaban?

—En el bar. En la mesa del rincón.

—¿Qué bar?

—Bueno, es una pequeña cafetería. En la puerta del fondo, la acristalada.

—¿Llegaban juntos?

—No, pero se iban juntos.

—¿Tenían amistad con algún otro jugador?

—Todos juegan contra todos un día u otro.

—¿Alguno en concreto?

—Pues... no lo sé. No puedo estar pendiente de todo lo que sucede. Aquí viene mucha gente, hay mucho movimiento. Me ha encontrado leyendo una novela porque a esta hora siempre reina un poco la calma. Pero a partir de media tarde... Mire, me gustaría ayudarle, se lo juro. ¡Jesús, María y José! Me ha dejado planchado con lo del señor Virgili. —Pareció cansado de la situación—. Lo que menos queremos aquí son problemas. El ajedrez es algo muy serio. Un juego de caballeros.

Hora de irse.

—Gracias. —Se puso en pie.

—No hay de qué, señor.

Se estrecharon la mano y antes de trasponer la puerta vio cómo el encargado se derrumbaba sobre su silla. Amén de lo que se escondiera tras su muerte, llena de incógnitas, se trataba de dos socios menos, uno de ellos muy querido, y de otros dos en el alero. Se encontró de nuevo en el club, donde los jugadores y los espectadores daban la impresión de no haberse movido un ápice. Esculturas vivas. La puerta del bar estaba donde le había dicho. La abrió y al otro lado vio un espacio relativamente pequeño, media docena de mesas y un mostrador atendido por un muchacho de unos veintipocos años ocupado en lavar tazas y vasos. El único cliente se tomaba un café que olía a todo menos a café.

Cuando se acodó en la barra, el chico le dijo:

—Nuevo, ¿eh?

—Visitante.

—Ah. —Siguió limpiando vasos.

—Me ha dicho el encargado que hable contigo —le tuteó.

—¿Acerca de qué?

—Los señores Virgili, Macià, Roura y Galvany.

—No sé quiénes son.

—Se sientan en la mesa del rincón desde hace un par de meses.

—Ah, el médico, sí.

—¿Sueles oírles hablar?

—¿Es usted policía? —Le dirigió una mirada sospechosa.

—Casi.

—Yo no presto mucha atención, la verdad. —Se encogió de hombros—. A la hora en que lo hacen ellos esto se llena y, como ve, estoy solo. Por lo general aquí se habla siempre de lo mismo, ajedrez, ajedrez y ajedrez, menos los lunes y los sábados, que además toca fútbol.

—¿Hablan, discuten...?

—Hablan y discuten, como todo el mundo.

—¿No recuerdas nada, algún detalle?

—Hay uno que habla mucho, sí, a veces en voz alta y todo, aunque le repito que yo a lo mío. Pillar palabras sueltas tampoco dice demasiado. Los otros o no le dejan excitarse o le hacen callar. El médico es el más tranquilo. Luego hay un señor ya muy mayor, de setenta años o más, con cara de dolor de estómago. El cuarto es el que parece llevar la voz cantante. Cuando él abre la boca, el resto le escucha.

El hablador era Roura, el médico Virgili, el señor mayor Mateo Galvany, el último Macià.

El hombre de la voz cantante.

Tal vez el jefe, pero ¿de qué?

—Gracias. —Se separó del mostrador.

—¿Han hecho algo? —indagó el muchacho.

—Matan camareros.

Lo dejó sonriendo pero preocupado.

14

Su humor negro nunca había sido bien recibido por sus compañeros de comisaría. Sus frases lapidarias o comentarios acerados hacían rechinar dientes o producían algún que otro pasmo. A veces tenía que frivolizar para quitarse la tensión de encima. Sólo eso. Le sucedió lo mismo con el taxista que le condujo a la dirección de Enric Macià. Era de los habladores. El tiempo, el calor, los peatones imprudentes, los motoristas, los guardias urbanos que les tenían manía a los taxistas y siempre les paraban más de la cuenta...

—¿Y usted a qué se dedica? —le preguntó no a las primeras de cambio pero sí a las segundas.

—Soy inspector de taxis —le dijo.

Fue suficiente para que cerrara la boca.

Cuando pagó la carrera y se bajó, el hombre se lo dejó claro:

—¡Por el camino más corto!, ¿eh?

La casa de Virgili era elegante, la de Roura discretamente humilde, la de su amigo Mateo sencilla. La de Enric Macià se acercaba más a la primera, aunque sin alardes. La zona, cerca del Hospital de San Pablo, parecía sufrir una fiebre constructora. Al otro lado de la calle, un taladro le perforó los oídos con su pesada cantinela. Cuando entró en el vestíbulo le interceptó otra portera de raza, de las peleonas. No se dejó impresionar por su aspecto de señor. Los señores llevaban corbata y él había salido sin ella.

Mea culpa.

—¿A qué piso va?

—Señor Macià. Cuarto primera.

Percibió el cambio de cara en la mujer. Su expresión se llenó de cenizas. Se apartó, bajó la cabeza y le dijo:

—Perdone.

¿Perdone?

O seguía pareciendo un poli...

O sus sospechas en torno a Macià se confirmaban.

El día anterior la policía sólo le había preguntado a María por Sunyer y por Roura.

El ascensor le dejó en las alturas. Antes de llamar al timbre se apoyó en la pared y llenó los pulmones de aire. Era fuerte, pero aun así... ¿O quizá ya no lo fuera tanto? Patro le daba energía y vida. La energía del amor y la vida de su plácida existencia. Nada que ver con el hecho de volver a meterse de nuevo en la piel de policía. Cuando trabajaba era una máquina con un solo objetivo. Así que empezaba a sentirse cansado. Llevaba todo el día de aquí para allá persiguiendo fantasmas. Y no estaba más cerca que al principio. Como mucho, había localizado a tres de los cuatro hombres por los que se había interesado la policía.

Sunyer era el misterio.

De momento.

Llamó al timbre de la puerta y esperó. Tuvo que hacerlo una segunda vez. Cuando se abrió se encontró frente a un chico de unos diecisiete años, rostro pálido, cabello revuelto y cara triste. Vestía una camisa a cuadros y unos pantalones de pata de gallo no demasiado propios para la estación.

Habló él, porque el muchacho no abrió la boca.

—¿El señor Macià?

La expresión de la cara acentuó la tristeza. No se dirigió a él para responderle. Volvió la cabeza y gritó:

—¡Mamá!

La mujer apareció por detrás, rostro grave, descompuesto, ojos enrojecidos, como si llevara días sin dormir y los hubiera pasado llorando. Tenía las manos unidas y, de tanto apretárselas, los nudillos estaban blancos. Se lo quedó mirando con dudas.

Expectante.

—¿Sí? —Tembló su voz con sólo pronunciar esa palabra.

Miquel despejó la última duda aun sin hablar. Bastaba con verla a ella. Si Virgili había muerto en comisaría, si Roura había logrado escapar y si Mateo, aunque inesperadamente libre, había sido asesinado pese a la vigilancia policial... ¿qué esperaba?

Lo que ya imaginaba en su fuero interno.

Por eso la segunda vez, veinticuatro horas antes, la policía sólo le preguntó a María por Roura y Sunyer.

—¿Puedo hablar con usted un minuto, señora Macià?

—¿De qué?

—De Mateo Galvany, Pascual Virgili...

—¿Es usted policía? —La desilusión mezclada con el temor se apoderaron de su ánimo.

Su hijo seguía sujetando la puerta.

—No, no lo soy.

—Entonces váyase.

Tomó el relevo del chico para cerrarle la puerta en las narices.

—Señora, por favor —intentó evitarlo él.

—¡Váyase!

El grito coincidió con una tercera presencia. Una joven de unos veinte años, crispada y tan llorosa como la mujer.

—¿Mamá?

—Váyase... —gimió ella al borde del hundimiento anímico.

—Un amigo mío ha muerto y no sé por qué. —Puso la mano derecha en la madera para evitar que la cerrara en un acceso de furia—. Y otro, el doctor Virgili, lo hizo en comisaría hace una semana, al día siguiente de ser detenido por la policía.

—Oh, Dios... —La mujer se llevó una mano a la boca.

No había muchas opciones, así que probó con la más lógica:

—Su marido sigue detenido, ¿verdad?

Le tocó hablar al muchacho.

—¿Cómo sabe usted eso?

—Vinieron a por él el domingo 22 de mayo.

El silencio los devoró a los cuatro. Una enorme termita capaz de comérselos de abajo arriba. La señora Macià volvía a unir sus manos, el pecho le subía y bajaba con sensación de terror. Las facciones del chico eran ahora mucho más duras. Las de su hermana, asustadas.

—Lleva una semana preso y no les han dicho nada.

—Así es —asintió su esposa.

—Lo siento, señora. Lo siento muy de veras.

—¿Quién es usted?

—Ya se lo he dicho. Un amigo mío murió y quiero saber por qué.

—¿Y qué quiere que le diga yo, señor? La policía registró nuestra casa y también nos preguntaron por unos nombres que ni conocíamos.

—¿Sunyer, Virgili, Roura y Galvany?

—Sí, creo que sí.

—¿Ninguno...?

—No, no, no —insistió con desespero.

—¿En qué trabaja su marido?

—Es secretario en Capitanía General.

El nombre de un organismo oficial, tan oficial, le desconcertó por unos instantes.

Palabras mayores.

—¿Y qué...?

No pudo terminar la pregunta. La muchacha llegó al límite

de forma súbita y explosiva. Ver a su madre, de pronto sumisa, y a su hermano, paralizado junto a la puerta, la hizo estallar.

Rozó la histeria.

—¿Es usted sordo o qué? ¡Mi madre acaba de decirle que no sabe nada! ¡Ni ella ni nosotros! ¿Quiere dejarnos en paz? ¿A qué vienen tantas preguntas? ¡No le conocemos! ¡Lo único que queremos es que papá vuelva a casa! ¡Ya hemos sufrido bastante! ¡Sea lo que sea que piensen o de qué le acusen, es falso! ¡Váyase de una maldita vez!

Ya no intentó evitar el cierre de la puerta.

Retiró la mano.

Y la madera estalló en su quicio como un trueno en medio del silencio de la escalera.

Miquel permaneció unos segundos en el rellano.

Aturdido.

Quería estar con Patro, paseando, o en el cine, no metido en aquella historia que, por momentos, se hacía cada vez más oscura.

Oscura y peligrosa.

Miró la puerta de los Macià y sintió lástima por ellos. Una lástima profunda y solemne.

Porque el marido y el padre que esperaban... probablemente ya no regresara jamás, aunque siguiera con vida.

El ascensor permanecía en la planta. Se metió en él y bajó hasta el vestíbulo. El portazo debía de haber alertado a la portera, porque le esperaba en mitad de sus dominios. Cuando se llevaron a su vecino, lo más seguro es que le viera arrastrado por allí mismo, como un animal, como habían hecho con Pascual Virgili.

Un triste espectáculo.

—Buenas tardes. —Pasó por su lado caminando despacio.

—Buenas tardes —le deseó ella.

El cálido sol le recibió como prueba de que la vida seguía.

15

Un médico, el encargado de una imprenta, un ex policía anciano y el secretario de un organismo oficial. Más el todavía misterioso Sunyer. Salvo el ajedrez, ¿qué podía unir a personas tan distintas?

Si la policía registró sus casas y les torturó en los interrogatorios...

La política.

Mateo era republicano confeso. Esteve Roura lo mismo. Que Pascual Virgili hubiera servido en el bando nacional había sido un accidente. Y en cuanto a Enric Macià...

La hija de este último acababa de decirle «Ya hemos sufrido bastante».

Como todos. Primero en la guerra, luego en la derrota, ahora en la larga, muy larga posguerra que se les hacía interminable.

Ya no tenía nada. Ninguna pista más. Y menos para dar con Sunyer. Caminó despacio por la calle, sin rumbo, con la cabeza llena de contradicciones y pensamientos esquivos, hasta que encontró un banco y descansó unos minutos en él. Observó a la gente que transitaba frente a él. Gente normal y corriente. Gente con su historia oculta. La mayoría serios. A los diez años de la victoria fascista, Barcelona era un fantasma en busca de su redención.

La paz al precio de la sumisión.

Miquel cerró los ojos.

Serenó sus pensamientos, equilibró los latidos de su corazón, hizo lo que hacía siempre en casos complejos de apariencia irresoluble. Comenzó el día de cero, desde la aparición de Pere para llevarle al Clínico y después su charla con María, con Esperanza Sistachs...

El viernes 20 habían detenido a Mateo Galvany y a María. El sábado 21 a ella la dejaron libre. El domingo 22 detuvieron a Virgili y Macià. Roura escapó. Sunyer probablemente también, por eso a María le preguntaron sólo por ellos dos al comunicarle la muerte de su padre. Después Mateo era liberado el miércoles 25. Tres días en casa, salía y lo atropellaban el domingo 29.

A Mateo le seguía un policía.

Lo habían dejado libre para...

—Dios... —Suspiró al encajar los detalles.

Volvió a abrir los ojos con un rictus de dolor.

Escuchó en su mente las palabras de María: «Cuando me dijeron que papá había muerto, los policías parecían contrariados», «Volvieron a hacerme preguntas», «Al detenerme no, ni al llegar a comisaría. Nos separaron y nada más. Pero sí al día siguiente, el sábado. Estaba sola y muy asustada. Entonces vino aquel comisario o lo que fuera. Un hombre muy siniestro. Dijo que no quería perder el tiempo. Fue lo único que quiso saber», «Pascual Virgili, Maurici Sunyer, Esteve Roura y Enric Macià», «La primera vez me preguntaron por los cuatro, la segunda sólo por Sunyer y Roura».

La primera, con los cuatro nombres, después de que interrogaran a su padre.

La segunda, con sólo dos, una semana después.

Tan elemental.

La policía detiene a Mateo por una investigación, una delación, rutina o lo que fuera. Bajo amenaza de hacerle daño a María, Mateo se rinde y pacta la libertad de su hija a cambio de darles cuatro nombres y, tal vez, contarles de qué va todo, lo que sea. Cuando le preguntan a María entienden que no sabe nada y cumplen su parte del pacto: la dejan libre. Van a por los cuatro y detienen a dos, pero como elefantes en una cacharrería, Roura se les escapa, y probablemente también Sunyer o no habrían preguntado por él la segunda vez. Macià sigue preso, Virgili muere, y entonces dejan libre a Mateo con la idea de seguirle, por si les lleva hasta los otros dos. Lo más normal tal vez sea pensar que ni Mateo ni el preso Macià saben dónde se esconden sus compañeros. Pero la única carta que les queda para estar seguros es la que ponen en práctica. El atropello mortal es un golpe, se les corta toda opción. Roura sigue en paradero desconocido. Sunyer...

Después de encajar las piezas, las preguntas eran obvias.

¿Por qué detuvo la policía a Mateo?

¿Qué investigaban?

¿Cómo llegaron hasta él?

¿Quién le atropelló?

¿Por qué?

¿Venganza, seguridad, precaución, para que no les llevara hasta ellos?

¿Ellos?

—Mateo, amigo, ¿en qué andabas metido a tus años? —susurró a media voz, abrumado por tantos interrogantes perdidos.

Alguien le había delatado.

Alguien que sabía algo, ése era el nexo.

La policía no va a por un viejo de setenta y seis años sin más, sin una razón.

Un viejo que había preferido salvar a su hija y traicionar a los otros antes de seguir con lo que fuese que tuvieran en mente.

Un enorme peso le aplastó contra el banco. Una tonelada. No habría podido levantarse aunque hubiese querido. Las personas son temerarias, valientes, pero hasta un límite. ¿Qué habría hecho él si hubieran detenido a Patro? Salvarla. Salvarla a cualquier precio. Nada era tan importante como...

¿Nada?

Cinco hombres andaban metidos en algo tan grave como para sacrificar sus propias vidas.

Una mujer se sentó en el banco, a su lado. Empujaba un cochecito con un bebé de pocos meses. Hizo un gesto de fatiga y se tocó las pantorrillas. Llevaba tacones altos. Miquel miró al bebé. Una niña. La delataban los pendientes que punteaban sus pequeñas orejitas. Dormía tan plácidamente que sintió envidia. Cuando un anciano mira a un niño pequeño, siempre piensa en lo que será de él, cómo vivirá su vida, y se hace preguntas acerca del futuro. Uno llega a puerto y otro arranca su carrera. Contrastes. La mujer era guapa, o al menos iba muy arreglada, cabello perfectamente moldeado, bucles y una permanente a prueba de huracanes. Tendría unos veinticuatro o veinticinco años. Dos días antes era una adolescente y el día anterior una jovencita. El tiempo corría muy rápido.

—Es muy guapa —dijo él.

—Gracias —respondió ella.

Quería hablar con alguien, y no tenía a nadie.

Alguien que no tuviera nada que ver con el caso.

Volvió a pensar en Patro.

Pero quien, de pronto, apareció en su mente fue María.

Sola en su casa, con su padre recién enterrado, llena de miedos, dudas y preguntas.

Le había hecho una promesa.

Una promesa que no podría cumplir porque no tenía nada.

¿O sí?

Volvió a sacar del bolsillo la libreta de Mateo. Esta vez no buscó ningún poema. Fue directo a la última página, la de las anotaciones, la fecha del día siguiente, el número de teléfono.

Miró a derecha e izquierda en busca de un bar.

Luego hizo el esfuerzo.

—Buenas tardes —le deseó a la mujer al levantarse.

—Buenas tardes —le correspondió ella.

—Suerte. —Señaló a la niña.

La mujer sonrió y él echó a andar.

No había ningún bar a la vista, y cuando encontró uno no tenía teléfono público. Caminó otro buen trecho hasta que en la acera de enfrente, inserto en la fachada, divisó el cuadrado azul con el teléfono impreso. Cruzó la calle y entró en el bar, pequeño, humilde y discreto, no muy lleno a esa hora. Fue directo al teléfono, visible en la pared del fondo, y sacó la ficha que no había usado la primera vez. Marcó el número y cerró los ojos.

De nuevo colgó a los doce zumbidos sin que nadie respondiera al otro lado.

—¿Me deja el listín telefónico, por favor?

—Al momento. ¿Le sirvo algo?

—Un café.

—Achicoria.

—Bueno.

El camarero le pasó la guía, oculta debajo del mostrador.

Acababa de tener una inspiración.

La abrió por la parte final, buscó la letra S y después pasó las páginas dejando atrás los encabezados Sa, Se, Si y So hasta llegar a Su. La relación de los Sunyer no era muy larga. Había tres con la letra M como inicial del nombre.

El número de teléfono al que acababa de llamar correspondía al segundo: M. Sunyer Claret.

La dirección era la calle Santa Madrona, una calle no muy larga, próxima al Paralelo, que nacía en Conde del Asalto.

Cerró la guía.

La achicoria aterrizó en el mostrador.

—Ya está, vete a casa —escuchó su propia voz.

No, no iba a irse a casa. Aunque Sunyer no estuviera allí, sabía que no hay que dar nada por hecho. Tenía que verlo con sus propios ojos. Un indicio llevaba a otro, siempre. Después de pasar un día entero persiguiendo fantasmas, ¿qué más daba perder otra hora?

La achicoria era infecta.

Dos minutos después tomaba su enésimo taxi en la esquina, como si tuviera prisa, como si fuera muy rico, como si fuera muy viejo.

16

Otra casa humilde, sin portería. Humilde y estrecha, con sólo un piso por rellano. Humilde pero no pobre, porque había algo en ella que la hacía digna: el arco de la entrada, los balconcitos labrados, el remate de la azotea, visible desde la calle. La habían maltratado los años y la falta de cuidados, sólo eso. Al barrio también le costaba recobrar la alegría anterior a la guerra, aunque los teatros del Paralelo brillasen siempre con su propia luz y la promesa de una evasión temporal.

No se metió en el portal de inmediato. Primero miró una vez más, disimuladamente, a derecha e izquierda.

Nada.

O la policía había mejorado, convirtiéndose en sombras casi invisibles, o allí no existía vigilancia alguna.

Si Sunyer estaba ya preso, ¿para qué vigilarla? Y si seguía huido como Roura, ¿iba a volver a su casa?

—Acabarás paranoico.

¿Por qué le daba cada vez más miedo el lío en el que se estaba metiendo?

Subió despacio a la primera planta y llamó a la puerta. El silencio al otro lado le hizo ver que no había nadie. Subió al segundo y se encontró con lo que ya esperaba. Lo mismo que en la vivienda de Roura, la puerta del piso había sido violentada. Patada policial, sin miramientos. Arrancada de sus goznes, la madera se sostenía en pie mediante un simple apoyo a base de haberla inclinado sobre el marco. Una cadena con un candado la había protegido un tiempo, pero también estaba rota, forzada. O un ladrón intentó beneficiarse de la situación, o un vecino entró a curiosear, o tal vez sí que Maurici Sunyer regresó en un momento u otro a por algo.

Miquel lo aprovechó.

Sostuvo la puerta con ambas manos lo justo para que su cuerpo pudiera colarse por el hueco. Luego la volvió a dejar donde estaba.

El piso de Maurici Sunyer era más humilde que la casa: paredes desconchadas, papel pintado y medio arrancado o caído en el comedor, poca luz en el resto y mucho vacío. Demasiado vacío. La única cama estaba en la habitación principal y tenía el colchón reventado, con sus restos esparcidos por el suelo. Las puertas del armario, abiertas de par en par, ofrecían un espectáculo igualmente mísero, sin apenas ropa y la que quedaba aparecía diseminada sin orden aquí y allá. Los cajones de una cómoda estaban vacíos.

En otro tiempo, allí tuvo que vivir una familia entera, porque el piso, aunque alargado y estrecho, tenía demasiadas habitaciones para un hombre solo.

El teléfono estaba en el pasillo, adosado a la pared. Tomó el auricular y comprobó que sí, que había línea.

Un teléfono vivo.

Alguien que vivía humildemente mantenía un servicio que no todo el mundo era capaz de pagar o disfrutar. Porque, de todas formas, ¿quién iba a llamarles o a quién iban a llamar?

Centró su atención en el comedor.

Una mesa, tres sillas desiguales, un aparador... Pero lo más importante estaba también en el suelo, como si alguien hubiese arrancado algo de las paredes o un viejo álbum de recortes hubiera sido destripado. Se agachó para recoger unas hojas de periódico, medio rotas algunas, amarillentas la mayoría.

Le bastó con una ojeada.

Recortes de un pasado luminoso y perdido.

Primero vio la imagen de un hombre fornido, bajo, no gordo pero sí musculoso, ya un poco calvo, vestido con equipación atlética. Sonreía con una medalla al cuello y sostenía una pequeña corona de laurel en las manos. Después leyó los titulares de aquellos recortes, todos anteriores a 1936.

«Mauricio Sunyer, campeón de Cataluña de lanzamiento de peso», «Sunyer a siete centímetros del récord de España», «Mauricio Sunyer, la joven esperanza del atletismo catalán», «Sunyer, quinto en los campeonatos celebrados en Berlín compitiendo con los mejores especialistas europeos», «Medalla de oro para Sunyer con un lanzamiento de...».

La historia de un hombre arrasada y arrojada al suelo.

Si no estaba ya preso, ¿se escondía con Roura?

Miquel dejó los recortes en el mismo lugar, pero no los pisó. Siguió moviéndose despacio, vigilando dónde ponía los pies. Un modo de respetar algo, aunque ya fuera tan inútil como tardío.

Casi en un ángulo del comedor descubrió los sobres, grandes, de color crema claro.

Abrió los ojos al ver en uno de ellos un nombre familiar.

«Pascual Virgili – Cardiólogo.»

Volvió a agacharse y los recogió. Cuatro en total. Le bastó con atisbar el interior del primero para darse cuenta de que su contenido eran radiografías. Extrajo una. Eran del torso de una persona. Según la etiqueta inferior, de Mauricio Sunyer Claret. Comprobó las fechas: junio de 1946, abril de 1947, marzo de 1948 y febrero de 1949.

Buscó más a fondo en los sobres sin encontrar nada, ningún informe. Miró por el suelo. Revolvió viejos recibos así como algún que otro recuerdo, hasta dar con tres hojas de papel perdidas junto con documentos diversos. Tres hojas con el mismo membrete de Pascual Virgili.

No entendió la jerga, pero fuera lo que fuera, no parecía nada bueno.

«Aneurisma de aorta torácica», «Tratamiento conservador», «Extremo cuidado»...

Luego, recomendaciones, una dieta...

El último nexo estaba ahí.

El lazo que unía a Virgili y a Sunyer, médico y paciente.

¿Qué podía significar eso?

Estuvo a punto de llevarse los informes médicos. Desistió de ello. Bastante se estaba ya mezclando en el caso. Memorizó algunas frases y descripciones y volvió a dejarlo todo en el suelo.

No quedaba mucho más por hacer.

Pese a todo, metió la cabeza por el resto de la casa: el lavadero, el pequeño inodoro, la cocina, dos habitaciones vacías, un minúsculo trastero igualmente desértico. La guerra debía de haberse llevado las medallas, los trofeos, los reconocimientos del Maurici Sunyer deportista y atleta.

Llegó al recibidor, apartó un poco la puerta y salió al rellano sin necesidad de moverla demasiado. Cuando se dio la vuelta se encontró con él.

Un niño.

Un niño de unos diez u once años, cara de listo, avispado, cabello cortado a cepillo, pantalones cortos, zapatos más grandes que sus pies, sucios.

—Hola —le dijo.

—¿Quién es usted? —El pequeño no se confió.

Salía del piso. No valía la pena mentir, sólo engañarle lo justo.

—Un amigo de Maurici.

—¿Conoce al campeón?

—¿Le llamáis así, el campeón?

—Sí, porque lo es.

—¿Dónde vives?

—Arriba.

—¿Sabes qué pasó? —Señaló la puerta reventada.

—Vino la policía —le contó con la mayor de las naturalidades.

—¿El día 22?

—No sé, era domingo. Montaron un alboroto de mil demonios. —Miró hacia arriba tras decir esa palabra, por si le escuchaba alguien, seguramente su madre.

—¿Se lo llevaron?

—No, no estaba en casa.

—¿Y más tarde?

—No lo sé, pero no creo. Es muy listo.
Un admirador.

—¿Adónde pudo ir?

—Ni idea. —Se encogió de hombros.

—¿Tú eres su amigo?

—Sí, el único.

—¿Por qué el único?

—No sé, pero lo somos.

—¿Le caes bien?

—Dice que me parezco a su hijo.

—¿Y dónde está su hijo?

—Murió. —Y le aclaró—: Cuando la guerra.

—¿Y su mujer?

—También murió. Y sus padres. Murieron todos.

—¿Así que estaba solo?

—Tiene un hermano, pero no sabe nada de él desde que acabaron los tiros. Oiga. —Le miró con cara de sospecha—. ¿No dice que es su amigo?

—Hace mucho que no le veo. Desde los días en que era campeón, antes de la guerra.

—¿Usted le vio competir? —Abrió los ojos.

—Sí —mintió con aplomo.

—¿Era tan bueno como dice?

120

—Mucho.

—Lo sabía. —Sonrió lleno de felicidad—. A mí me ha contado cosas estupendas, cómo ganó algunas de sus pruebas. Es emocionante.

—¿Por qué no siguió compitiendo después?

—¿Cómo iba a hacerlo con un solo brazo, hombre?

—¿Perdió un brazo?

—Sí, el izquierdo. Y aunque echaba la bola con el derecho ya no pudo seguir, o no le dejaron. Por eso y por ser rojo. ¿Usted también era rojo?

—¿Cómo perdió el brazo?

—En el frente. Se lo arrancó un obús. Dígame, ¿era rojo o no?

—Sí, lo era.

—Bueno. —Se quedó serio.

—¿De qué vive ahora?

—Ayuda aquí cerca, en la tienda de ultramarinos de la señora Luisa. Tiene un solo brazo, pero le basta para cargar cajas y todo eso, porque es muy fuerte. La señora Luisa tampoco tiene a nadie y a Maurici le basta con muy poco para comer.

—Parece que lo sabes todo.

—Sí. —Se mostró orgulloso de su dominio y su popularidad.

—¿De verdad no tienes ni idea de dónde pueda estar?

—No, ya se lo dije a la policía.

—¿Te interrogaron?

—Sí. —Sacó pecho—. Pero si iban a por Maurici es que se equivocaban. Les dije que no sabía nada y ya está.

Miquel le revolvió el pelo con simpatía. Los dos miraron con cierta tristeza la desvencijada puerta de la casa del campeón de Cataluña de lanzamiento de peso.

—¿Qué será ahora de este piso? —se preguntó en voz alta.

—La policía dijo que no entráramos ni tocáramos nada, pero eso fue hace una semana y no han vuelto.

—¿Dónde está la tienda de la señora Luisa?

—Saliendo a mano izquierda, en la calle San Bertrán.

Puso un pie en el primer peldaño de la escalera y se detuvo.

—¿Tenía amigos? —volvió a dirigirse al chico.

—Que yo sepa no. Nunca le vi con nadie.

—¿Pascual Virgili, Esteve Roura, Enric Macià, Mateo Galvany...?

Movió la cabeza negativamente.

—Sí, parece que eres su único amigo —asintió él.

—Siempre está muy serio, menos conmigo, aunque mi madre dice que está loco, que todos los solitarios lo están, y más habiendo perdido a su familia entera.

—¿Te contó alguna vez por qué tiene teléfono?

—Dice que lo necesita, por si un día llama su hermano, aunque cada vez ha perdido más las esperanzas. También dice que es por dignidad, que si uno va renunciando a todo acaba no siendo nada.

Un resistente.

Tal vez un idealista.

¿Peligroso como todos ellos?

—Gracias, chico —se despidió de él.

17

La tienda de ultramarinos no era muy grande ni tenía mucho de todo. No en tiempos de cartillas de racionamiento. Más bien había espacio y un poco de casi nada. La señora Luisa atendía a una parroquiana detrás del mostrador. Era una mujer mayor, sesentona, cabello blanquecino, bolsas bajo los ojos y papada que se bamboleaba con cada movimiento. Sus ojos eran hermosamente grises. De joven tuvo que ser muy bonita. Ahora destilaba humanidad y tristeza, la melancolía de quienes han visto su vida cambiar abruptamente y para peor. Los silencios y las noches solían ser muy amargos para esa clase de personas.

No pudo evitar escuchar la conversación entre ella y su clienta mientras aguardaba.

—¿Cuándo tendrá alubias?

—Dijeron que esta semana traerían, el miércoles o el jueves.

—Por Dios, ni que las fabricaran una a una o las trajeran de Rusia.

—De Rusia precisamente no creo.

—Ya.

Por un momento se echaron a reír.

Sólo un momento.

—Bueno, espero no quedarme sin ellas, que a mi Feliciano le encantan y cada día me da la vara con eso. Yo le digo: «Caramba, Feli, vete tú a la tienda a ver si hay un milagro». Pero él, mover el trasero...

—Venga, señora Amalia, que ya lo tiene muy mayor.

—¿Y yo no lo estoy?

—Usted está como una rosa.

—¡Será por la parte de los pinchos!

Otra pequeña risa.

—¡Hala, con Dios!

—Si llegan le guardo, o la aviso —la despidió la señora Luisa.

La parroquiana se fue y se quedaron solos. La dueña de la tienda se dirigió a él.

—Usted dirá.

—Soy amigo de Maurici Sunyer —se presentó.

La mirada tuvo muchos matices en uno. Reserva, duda, interrogación, miedo...

—Bueno, amigo de antes de la guerra, claro —lo precisó un poco más.

—¿Quién le ha dicho...?

—El niño que vive arriba de su piso, un chico estupendo.

—Ah. —Mantuvo la distancia.

—Verá, he estado prisionero todos estos años y ahora... Ya me dirá, todo es nuevo, no encuentro a casi nadie de antes.

—¿Dónde ha estado? —Mostró su primera rendija.

—En el Valle de los Caídos.

Su rostro reflejó pena y amargura.

—Lo siento —se solidarizó con él.

—Me ha dicho el chico que usted le ayuda.

—En memoria de su madre, que en paz descanse. —Se llevó una mano a la frente—. Era una buena mujer.

—¿Murieron en la guerra?

—Sí. Fue... muy triste.

—¿Por qué?

—Primero el niño, de hambre. Luego su madre, la mujer

124

de Maurici, de pena. Poco después el abuelo, enfermo. Y por último la abuela, cuando creyó que sus hijos Maurici y Ernest habían caído en el frente. Se echó a las vías de un tren.

—Espantoso —dijo él.

—Ernest desapareció y cuando Maurici regresó, con sólo un brazo...

—Muy duro para alguien que ha sido atleta. Es difícil sobreponerse a tanto.

—Es duro para cualquiera, atleta o no. Yo también perdí a mi marido, fusilado, y a mi hija.

—Yo a mi esposa y a mi hijo.

Intercambiaron una mirada dolorosa. Una mirada de proximidad. Ya no eran extraños. Compartían el peor de los males: la soledad extrema.

Batida por los recuerdos.

—Parece que he llegado tarde —suspiró Miquel.

—¿Por qué lo dice?

—La casa está destrozada y me ha dicho ese niño que vino la policía.

—Sí, algo inconcebible.

—Pero no le detuvieron.

—De milagro. Estaba aquí. Vio lo que pasaba, me pidió algo de dinero y se fue. Sólo pude darle cien pesetas.

—¿Sabe dónde puedo encontrarle?

Reapareció un atisbo de desconfianza.

—No.

—Qué mala suerte.

—¿De verdad es amigo suyo?

—No soy policía, no tema. —Levantó una mano y sonrió buscando recuperar su confianza mientras mentía con aplomo—. Le traía un recado de su hermano.

—¡Válgame el cielo! —Volvió a llevarse una mano a la frente, como si fuera a santiguarse—. ¿Está vivo?

—En México.

—¡Oh, Dios! No puedo creerlo.

—Pasó por Francia, tuvo que luchar en la guerra contra los alemanes, le hicieron prisionero y finalmente, al acabar la contienda, consiguió llegar al otro lado del Atlántico. No había líneas telefónicas abiertas, así que no pudo llamar. Escribió varias cartas y una me llegó a mi casa. La he encontrado al salir libre. He venido en cuanto he podido.

La mujer seguía emocionada, pero también triste.

—Y esto ha tenido que pasar ahora —se lamentó—. ¿Sabe usted la de años que lleva Maurici esperando noticias de Ernest? ¡Mantenía el teléfono sólo por él! Era el único que decía que estaba vivo, convencido de ello.

—Qué mala suerte. ¿Por qué querría detenerle la policía?

—No lo sé.

—Cuando escapó, ¿le dijo algo?

—No hubo ni tiempo. Maurici no se metía en nada, y menos delictivo. Es absurdo.

—¿Usted le conocía bien?

—¿Alguien conoce a alguien? Yo creo que sí, pero ya ve. —Hizo un gesto de resignación—. Vaya usted a saber.

—¿Vino la policía a interrogarla?

—¿A mí? No.

—Pues si no le han cogido y ha logrado escapar, ya no volverá. —Mantuvo su papel de amigo frustrado.

—No quiero ni pensar lo que estará sufriendo.

—Le haría mucho bien saber lo de Ernest.

—Ya lo creo.

—Incluso, con suerte, podría buscar la forma de hacerle llegar a México. Conozco gente que le ayudaría —lanzó un último cebo.

La señora Luisa bajó los ojos.

Más dolor.

—¿No tenía amigos?

—Que yo sepa sólo Pura.

126

—¿Quién es Pura?

—Una prostituta de aquí cerca, en Robadors. —Enderezó un poco la cabeza y agregó—: No es que me gustase, pero... un hombre tiene sus necesidades.

—¿Y tenía intimidad con ella?

—Pura compra aquí. Una vez, no hace mucho, hablando de él, me dijo que era su cliente más dulce, y que le contaba siempre cosas de cuando competía y viajaba por Cataluña, España, Europa... Incluso de la guerra. A mí nunca me hablaba de la guerra.

—¿Dónde encuentro a esa mujer?

—Suele estar en la esquina de Robadors y San Rafael, cerca del bar La Palma.

—¿Cómo es?

—Alta, morena, ojos grandes... Bueno, todo lo tiene grande. Le gusta llevar tacones. Tiene una cicatriz en la pantorrilla derecha.

—Le agradezco toda esta información, señora Luisa —asintió él.

Ella le cubrió con una mirada hundida en el vacío.

—Usted tampoco cree que vaya a volver, ¿verdad? —le preguntó.

—No, esto tiene mala pinta. —Fue sincero—. No sé en qué clase de lío se habrá metido, pero si la policía va tras él, en estos tiempos... —Hizo una pausa y suspiró—. Todos los que perdimos la guerra estamos marcados.

La señora Luisa asintió con la cabeza.

—Si volviera, dígale que me busque. Le anotaré mis señas. Que se piense lo de México.

Miquel no llegó a anotarle su dirección.

—Maurici nunca podrá hacer ese viaje, señor —le detuvo la mujer—. En su estado...

—¿Qué estado?

La mirada final fue la más amarga de todas.

La mirada del adiós.

—Maurici se está muriendo. Le quedan unos meses, quizá sólo unas semanas de vida. A veces incluso me parecía un cadáver ambulante, sobre todo estos últimos días, pobrecillo.

18

Llegó a la calle Robadors diez minutos después, caminando cada vez más despacio. Le dolían los pies y un poco la espalda, aunque nada comparado con la cabeza y la sensación aplomada de las piernas. Necesitaba una aspirina y tumbarse. El bar La Palma estaba por encima de la esquina de San Rafael, pero no vio a nadie parecido a Pura según la descripción de la señora Luisa. La mayoría de las prostitutas tenían puntos en común. Ropa, maquillaje, exuberancia, actitud... Algunas eran muy mayores, resistían, exhibían su mercancía corporal con el aplomo y la veteranía de tantos años. Otras eran más jóvenes y desafiaban al mundo desde su vitalidad. Los precios debían de ser para todos los gustos y bolsillos. Necesidad y punto.

No tuvo más remedio que acercarse a una, ya en San Rafael, a cinco metros de la esquina. Tendría unos cuarenta y pocos años y era vulgar. En cuanto apareció en su radio de acción y más cuando se detuvo, ella se transformó, entró en funcionamiento toda su maquinaria de seducción: la mirada cárdena, los labios entreabiertos, el escote que era como un escaparate de lo que guardaba en su interior...

Por un momento, Miquel pensó en las mujeres guapas y selectas de El Parador del Hidalgo, donde había reencontrado a Patro.

Por un momento.

—¿Está por aquí Pura? —Fue directo.

Un destello de insatisfacción titiló en sus ojos negros maquillados de negro bajo unas espesas pestañas negras.

Lo superó muy rápido.

—Tiene un trabajo, guapo. Pero yo valgo por dos. Y si me das motivos, hasta por tres. —Se inclinó sobre él para que la viera mejor y la oliera—. Encima cobro sólo por una, porque soy así de generosa.

El perfume barato le aturdió.

—No soy un cliente —dijo.

—Todos lo sois, prenda.

—¿Volverá aquí?

La mujer comprendió que era una roca. Eso acabó de desanimarla.

—No, si te parece tiene una oficina.

—¿Cuándo...?

—Mira tú por dónde, hablando del rey de Roma...

Siguió la dirección de sus ojos. Pura caminaba a buen paso por San Rafael hacia Robadors para recuperar su puesto en la calle. La señora Luisa tenía razón: era un pedazo de mujer, abundante en todo, sobre todo en pecho, caderas y formas exuberantes, curvas y contracurvas. Su belleza, como la de la mayoría, estaba ajada por el trabajo y la edad. Le calculó unos cuarenta, tan lejos de la juventud como de la vejez. Los labios eran muy carnosos. El escote un vértigo. La falda, con un corte vertical, permitía ver la longitud y rotundidad de sus piernas. Llevaba unos imposible tacones sobre los que mantenía un elegante equilibrio natural.

—Gracias —se despidió de su interlocutora.

—Te arrepentirás, precioso. —Ella le dio la espalda.

Se puso en medio de la calle. Pura notó que la esperaba. Empezó a sonreír faltando unos tres metros para alcanzarle. Ni siquiera le dio tiempo a hablar.

—Hola, cielo, ¿qué tal? ¿Me esperabas?

—Eres Pura, ¿verdad? —Quiso confirmarlo aunque no hiciera falta, sólo por romper el hielo.

Pero no había hielo, sólo calor.

—¿Recomendado? ¡Hum!, ¿quién te quiere bien? —Le abanicó con sus pestañas.

—Maurici Sunyer.

A la prostituta le cambió la cara.

—Oh, Dios... —exclamó sin poder evitarlo—. ¿Está bien?

—No lo sé. He salido de la cárcel, le ando buscando y me han dicho que la policía le persigue.

—¿Has salido de la cárcel? ¿De qué cárcel?

—Indultado. Por un pelo.

—Has tenido suerte, cariño. —Se relajó un poco—. ¿Quién te ha dicho que Maurici y yo...?

—La señora Luisa.

—Entiendo.

—Mira, no le veo desde la guerra. Necesito encontrarle, es muy importante.

Ella hizo un gesto de impotencia.

Cien por cien sincero.

—Yo no sé qué puede haberle pasado, cielo, ni en qué lío podría estar metido. Una cosa es la carne y otra el pescado, ¿me entiendes?

La carne era ella.

—Por lo que parece, eres su única amiga.

—Sí. —Sacó pecho—. Me hago querer y él es muy buen hombre, muy activo, muy fuerte. ¡Y lo que le gusta el sexo, por Dios! —Puso cara de éxtasis—. Le pierde. Si no fuera lo que soy... Le falta un brazo, pero de aquí para abajo... —Le puso una mano en la cintura y la deslizó rozando su cuerpo, el vientre, el bulto del sexo bajo el pantalón—. Tú también pareces fuerte, amor. —No olvidó su trabajo—. A mí es que los hombres así me ponen...

—Necesito verle. —Detuvo su mano—. Quizá te dijo algo...

Pura relajó su actitud.

Casi llegó a rendirse.

—Desde que la poli fue a por él y se marchó... Ya no volverá, eso seguro. Les tenía miedo. Miedo y odio. Pobre Maurici. Toda una vida tragando mierda para esto, sea lo que sea.

—¿Tenía adónde ir?

—No, que yo sepa.

—¿Alguna compañera tuya?

—Era la única para él —proclamó con orgullo—. Tenía buen gusto.

—Pero algo te diría. Según la señora Luisa, te contaba cosas del pasado, de cuando competía, incluso de la guerra.

—Hablábamos mucho, sí, aunque no del presente, sólo del pasado. Del presente lo único era su odio por todo, por lo que le hicieron, lo que le arrebataron. De haber podido, se habría convertido en un maquis o un anarquista, y con un solo brazo... Por lo general no me trago la mierda de los demás, pero él era diferente. A veces incluso cenábamos juntos, como una pareja normal. —Dulcificó su expresión levemente.

—¿Le veías mucho?

—Al menos una vez a la semana. Por lo general dos. Si estaba de suerte, tres y le cobraba menos. Ya te digo que el sexo le volvía loco. Y más conmigo.

—Tuvo que meterse en algún problema. ¿No le notaste raro?

—No sé qué decirte.

—Estos últimos días. Según la señora Luisa, parecía un cadáver ambulante.

—Bueno, estaba preocupado, eso sí.

—¿En qué sentido?

—En todos. Filosofaba mucho sobre la vida, la muerte, el destino... Decía que un solo hombre había cambiado el destino de España y que también uno solo podía devolver el país a la normalidad.

—¿Se refería a Franco?

—Sí. —Miró a su alrededor por si había oídos indignos—. ¿Quieres bajar la voz?

—¿Te suenan los nombres de Esteve Roura, Pascual Virgili, Enric Macià o Mateo Galvany?

—No, ¿por qué?

—¿Sabías que estaba enfermo?

—Sí. —Sonrió como una niña mala—. Me decía que lo mejor que podía pasarle era estirar la pata dentro de mí. Yo le contestaba que ni se le ocurriera.

—¿Te dijo también que iba a morir?

—¿Qué? —Frunció el ceño.

—¿No te contó eso?

—¡Quita ya! —Se enfadó de veras.

Maurici Sunyer se lo había confesado a la señora Luisa, pero no a la mujer con la que se acostaba.

Un último rasgo de orgullo.

—Tenía algo muy grave en el corazón. Una cosa llamada aneurisma.

Los ojos de Pura se ensombrecieron.

Luego se iluminaron con la presencia de unas lágrimas apenas contenidas.

—Me estás tomando el pelo.

Miquel no dijo nada.

La miró fijamente.

—Mierda... —gimió la prostituta.

—Lo siento.

—Es que siempre caen los mejores, o los más infelices —exhaló sin fuerzas.

—Intenta recordar estos últimos días, por favor. Su hermano Ernest está vivo, en México —continuó con su mentira—. No puede llamarle. Se merece esa noticia.

—¿Y qué quieres que te diga? —Se vino abajo, cansada de tanta charla—. ¿Sabes la de clientes que me cuentan la intemerata? A veces me toca hacer más de madre que de puta. Él estaba traumatizado por la guerra, ya te lo he dicho. —Se desesperó un poco más—. Coño, todos los suyos muertos y él manco. Maravilloso, ¿no? Decía que, con sólo un brazo, aún era capaz de batir el récord de España, pero que no le dejaban competir, más por rojo que por manco. Y eso que últimamente había vuelto a entrenar.

—¿En serio?

—Sí, iba a Montjuïc a echar piedras. Cogía una del tamaño y peso de esa bola que tiran y la arrojaba lo más lejos que podía. Me contó que aún era el mejor, que la tiraba un buen puñado de metros más allá. Estaba orgulloso de eso.

—¿Pudo decírtelo para alardear o presumir?

—En la cama todo son flores, amor, pero él lo contaba de verdad. ¿Quién le dice a una puta que se va a tirar piedras, si no? Yo le animaba, claro. El pobre...

—¿No te parecía extraño, y más estando enfermo?

—También follaba estando enfermo, ¿y qué? ¿Extraño? A mí nada me parece extraño, querido. —La prostituta que había hablado con él acababa de conseguir un cliente y pasó por su lado moviéndose de forma endiablada, colgada de su brazo. Eso la molestó—. Oye, aquí de cháchara contigo no me voy a comer un rosco y soy la mejor, ¿sabes?

—Ya me iba, perdona.

Ella lo retuvo.

—Tienes cara de no haber estado con una mujer desde hace mucho.

No era buena psicóloga.

Puta sí. Psicóloga no.

—Estoy casado. —Le mostró el anillo.

—Pero tu mujer será mayor, como tú, y ya no te puede dar lo que te daré yo.

—Gracias. —Se separó un paso.

Suficiente para que ella no pudiera alcanzarle.

—Si encuentras a Maurici, dile que le echo de menos. —Reapareció la mujer que llevaba dentro.

—No tengo a quién preguntar.

—Hace buen tiempo. Puede dormir en cualquier parte.

Otro paso más.

—¿Por qué lado de Montjuïc va a entrenarse?

—Hay un terreno donde a veces juegan los niños, un campo de fútbol o algo así. No sé el nombre, si es que lo tiene. Me habló de que subía y bajaba por la calle Margarit porque ahí vivieron sus abuelos hace mucho tiempo y le gusta, por eso lo recuerdo. Cerca están las barracas.

La cara oculta de Barcelona, la mísera.

—Suerte, Pura —le deseó.

La puta ya no respondió.

Pasaba un hombre cerca, y la miraba con ojos sedientos.

Ella fue hacia él y casi le hundió la cabeza entre los pechos.

19

A un paso de junio, los días ya eran más largos de lo normal y el sol no se ponía hasta tarde. Sin embargo, su anhelo de ir a Montjuïc a echar un vistazo quedó aparcado ante la realidad. La luz menguaría de igual forma y estaba cada vez más cansado después de todo un día de no parar. Lo de Montjuïc también podía ser un tiro al azar. Otro más.

Añoraba su casa, su intimidad, el silencio.

La cama, aun sin Patro.

—¿Por qué tenías que marcharte precisamente en estos días? —le reprochó al viento.

En la juventud, los días no cuentan.

Uno más, uno menos...

En la vejez cuentan todos.

—Vamos, inspector Mascarell —se rindió.

Se dirigió a las Ramblas por la calle Hospital y pasó por delante de la pensión Rosa, su primer hogar al llegar a Barcelona una vez liberado por el régimen. De allí había salido una mañana para irse a vivir con Patro, aceptando su invitación de compartir piso.

Compartir piso.

Luego cama.

Imprevisible amor, siempre sorprendiendo.

Amor y también necesidad.

Bajó la cabeza y continuó caminando, víctima de una súbita aprensión. Pronto haría dos años de aquello. No era mucho tiempo, tal vez todo siguiera igual, o tal vez no. Pero no quería ver a nadie. Durante unos metros temió que una voz le detuviera o que se encontrara con un recuerdo más.

No sucedió nada y llegó a las Ramblas. Subió por ella en dirección a la plaza de Cataluña buscando un taxi libre sin éxito. Por su cabeza desfilaron preguntas e inquietudes en tropel. Siempre que un caso se metía con fuerza en su ánimo le sucedía igual. Al menos cuando era policía de verdad.

Entonces y siempre. Ahora.

Pensó en todo lo que le habían dicho las personas a las que había visto a lo largo del día.

Y cuanto más quería olvidarlo...

—Mañana, mañana...

En julio del 47, Patro se había acostado con él inesperadamente. Un milagro. Y había vuelto a la vida. Una vida y una redención. Su vida y la redención de ella. Después, ya viviendo juntos, aquella noche, cuando Patro se metió en su habitación y se arrebujó a su lado en la cama...

El beso.

Las caricias.

El olvido.

—No soy joven.

—Eres la mejor persona que he conocido.

—No se ama así, se ama con los sentidos.

—Entonces mírame, tócame, huéleme, óyeme... Y déjame que por primera vez crea en algo puro y honesto, Miquel. Déjame que crea en ti.

Un hermoso comienzo.

Solía pensar en ello.

Ahora eran marido y mujer, y ella era feliz.

Se olvidó de Patro cuando un taxi hizo centellear su luz a unos metros y reaccionó. Levantó la mano y, más que su gesto, lo que lo detuvo fue su grito.

—¡Taxi!

Se introdujo en él y se dejó caer en el asiento trasero, a plomo. Una bendición. El hombre esperó paciente a que le diera una dirección de destino y cuando iba a darle la suya, en la esquina de Valencia con Gerona, cambió de idea inesperadamente.

María.

María sola en casa.

Se oyó a sí mismo pedirle que le llevara a Sants.

Luego cerró los ojos y sucumbió a sus pensamientos, de vuelta al caso.

Virgili muerto, Macià detenido, Sunyer con un solo brazo.

¿Había atropellado Roura a Mateo?

¿Quién más se escondía detrás de todo aquel lío?

—¿Se encuentra bien, señor?

—Sí, sí.

—Parece cansado.

—Un día duro.

—Da gusto volver a casa, ¿verdad? Yo llevo doce horas al volante y en cuanto le deje...

Doce horas al volante del taxi. Todos sobrevivían como podían.

—Tiene un trabajo distraído.

—Eso sí, distracción no me falta. La semana pasada me nació una niña ahí mismo, donde está usted, y como ayudé en el parto, porque no llegábamos al hospital, ahora los padres se empeñan en ponerle mi nombre. —Soltó una risa—. Bueno, en chica, claro. Manuela.

Cada cual con su historia.

Algunas simples. Otras mortales.

Por una vez, habló con el taxista. Necesitaba despejarse y dejar de pensar.

Pagó la carrera y bajó del coche diez minutos después. Se había gastado la mitad de lo que llevaba encima, milagrosamente, al salir de casa. Y todavía le quedaba un último taxi.

Éste sí, a casa.

Subió al piso de Mateo, ahora ya de María en solitario, y en cuanto ella le abrió la puerta se le echó a los brazos temblando, igual que si se liberara de una enorme tensión. Miquel no pudo hacer otra cosa que corresponderla, aunque abrazar a otra mujer que no fuera Patro se le hacía extraño.

Tan extraño como cuando abrazó a Patro sin olvidar a Quimeta.

—Gracias por venir... —le susurró.

—Quería ver cómo estabas antes de ir a casa.

—Pasa, pasa.

Llegaron al comedor y se sentó en la butaca. Como un fardo. María apareció tras él con un vaso de agua en la mano después de meterse en la cocina a toda velocidad. Se lo agradeció y lo apuró de tres largos sorbos. Le hizo un gesto para que no le trajera más y ella se sentó en una silla.

—Quítate la chaqueta.

—Gracias. —La obedeció y se la quitó sin siquiera levantarse.

—Pareces cansado. —Se la puso con cuidado en otra silla, para que no se le arrugara.

—Llevo todo el día de aquí para allá.

—¿En serio?

—Claro.

—¿Y has averiguado algo?

Sabía que era la pregunta oportuna. La única. Y se dio cuenta de que no tenía ninguna respuesta para ella. ¿Qué le decía? ¿Le hablaba de sus sospechas? ¿Le contaba que probablemente Mateo había traicionado a sus amigos por salvarla?

¿Amigos misteriosos que andaban tras algo tan grave, tanto, que la policía había caído sobre ellos como un tanque, torturándoles hasta haber matado ya al menos a uno?

—Tu padre estaba metido en algo gordo —admitió—. Pero de momento no sé qué podía ser.

—¿Papá? —Puso cara de asombro.

—Sí, él —asintió—. Mi viejo camarada Mateo Galvany.

—¿Estás seguro de lo que dices?

—Todos los indicios van en la misma dirección, querida.

—¿Y esos hombres?

—No puedo hablarte de ellos.

—¿Por qué?

—Porque si la policía vuelve a detenerte y te interrogan, cuanto menos sepas, mejor. Por eso.

—No puedo creerlo.

—Pues créelo, y te juro que lo siento de veras.

—Pero ¿les has visto?

—No, a ninguno.

—No entiendo... —Frunció el ceño.

—María, necesito hacerte algunas preguntas.

—¿A mí? —Le mostró su asombro—. Te he dicho todo lo que sé, o sea nada.

—Vivías con él —insistió—. Los detalles cuentan. Tienes que recordar cosas de estas últimas semanas.

—Pero si no abría la boca.

—¿Qué hizo la semana anterior a su detención?

—Lo de siempre, dar algún paseo, decir que iba al cine y me imagino que visitar a esa mujer...

—Iba a jugar al ajedrez.

—Sí, se aficionó de golpe, es verdad.

—Esteve Roura le metió esa afición.

—Eso no lo sabía. Ya te dije que nunca había oído ese nombre.

—¿Lo ves? Si te olvidaste de contarme eso, también puedes haberte olvidado de otras cosas.

—¿Cuáles? —Abrió y cerró las manos impotente.

—Piensa en sus hábitos, sus costumbres, sus rutinas, lo

que comentaba escuchando la radio, o leyendo el periódico...

—¿Oyendo la radio? Puedes imaginártelo. No soportaba casi nada. Le enfermaba escuchar la voz de Franco, el tono grandilocuente y demagógico de la propaganda, las continuas referencias religiosas. Se ponía furioso. Y lo mismo con el periódico. Decía que todo eran mentiras al servicio del régimen. A veces creía que iba a estallar, rojo como una granada, puños apretados...

—¿Y lo que pudo hacer fuera de lo normal, él u otra persona, una visita inesperada...?

María alzó las cejas.

—Vino una persona, sí.

—¿Cuándo? —Miquel se envaró.

—Pues... un par de días antes de que... —La palidez reapareció en su semblante.

—¿De que os detuvieran?

—Sí.

—Vamos, María —la alentó a seguir.

—El hombre que vino no le encontró.

—¿Te dijo qué quería? ¿Te dio su nombre?

—Me dijo que venía de parte de otro y que fuera a verle.

—¿Te explicó el motivo?

—No, sólo que fuera a verle.

—¿Y el nombre?

—No me dio el suyo, pero sí el de la otra persona... —Bajó la cabeza intentando concentrarse y superar aquel nuevo temblor—. Lo malo es que no...

—Haz memoria. Puede ser importante.

—Era bastante... —El esfuerzo la hizo angustiarse—. Quiero decir que era muy poco común, aunque apenas le presté atención. —Cerró los ojos y volvió a abrirlos para agregar—: Yo lo asocié con policía porque era algo así, Poli... Poli-no-sé-qué...

—¿Policarpo?

—¡Sí! —exclamó excitada—. ¡Policarpo Hernández, Domínguez...!

El que abrió ahora los ojos fue Miquel.

—¿Policarpo Fernández?

—¡Sí! —Apretó los puños emocionada—. ¡Policarpo Fernández!

—Dios... —Suspiró reclinando la espalda en la butaca como si le hubieran pegado un puñetazo.

—¿Le conoces?

—De cuando tu padre y yo éramos inspectores, vaya si le conozco. Y es tan asombroso que...

—¿Puede tener algo que ver con todo esto?

—Si efectivamente hablamos de él, sí, María. El Poli era un tipo de cuidado antes de la guerra, de los que caen de pie, sirviendo a Dios y al diablo. Y si vive, que parece que sí, seguirá igual, porque para él no había rojos o azules, comunistas o fascistas. Su única religión era el dinero, la supervivencia y el poder, algo que no tiene color. Tu padre y yo nos las vimos y deseamos para meterlo entre rejas.

—¿Lo lograsteis?

—No, nunca.

—¿En serio? —No pudo creerlo.

—Era escurridizo, listo, hábil, jamás con delitos de sangre, siempre con personas que le hicieran los trabajos sucios. Repartía bien el dinero. Jueces, policías, abogados... Y estaba metido en casi todo, juego, prostitución, contrabando y cualquier lindeza parecida. Mateo y yo nos volvimos locos. Desde luego, visto en la distancia, era todo un personaje.

—Pero ¿por qué papá tendría que ver con un tipo así?

—Ni me lo imagino —reconoció.

—¿Y si me equivoco?

—¿Cuántos Policarpos con apellido vulgar crees que hay en Barcelona, o cuántos que conociera tu padre de los viejos tiempos? —Se tomó unos segundos de reflexión antes de continuar—: ¿El que vino sólo te dijo que fuera a verle, seguro?

—Sí, seguro.

—¿Cómo era ese hombre?

—Pues... bastante siniestro, la verdad. Traje oscuro, un poco más bajo que yo, ojos pequeños, con una cicatriz bastante aparatosa en la barbilla que le iba así, en diagonal hasta la mitad del cuello. —Se lo explicó gráficamente, tomó aire y se quedó pensativa, molesta consigo misma—. Se me había pasado por alto completamente. Fue... tan rápido e insustancial.

—¿Qué dijo tu padre cuando le diste el recado?

—Nada, como si tal cosa.

—¿No le preguntaste?

—¿Yo? ¿De qué iba a servir?

—¿Sabes cuándo fue a verle?

—Esa misma tarde, seguro. No me lo dijo tal cual pero regresó ya de noche, más allá de la hora habitual en él. Cuando salía con esa mujer estaba en casa como mucho a las diez, y si iba a jugar al ajedrez, antes, a las nueve más o menos. Esa noche volvió pasadas las doce.

—¿Te pareció raro?

—No, pero ahora que lo dices...

—¿Qué?

—Por la mañana me lo encontré mirando por la ventana, ahí mismo. —Indicó el punto exacto a su derecha—. Yo ya estaba vestida y arreglada para irme a trabajar. Le deseé buenos días, se volvió hacia mí, me sonrió con ternura y me dijo que probablemente volverían a serlo.

—¿Te pareció un rayo de esperanza?

—Me pareció raro. ¿En papá? ¿Una sonrisa de buenos días y eso de que volverían a serlo? Papá vivía sin esperanzas, Miquel. En él todo era odio y resquemor. Yo creo que de no ser por mí se habría quitado la vida. Pero no quería dejarme sola. Supongo que no le di mayor importancia hasta ahora. Si crees que esa visita es importante...

Miquel apoyó la cabeza en el respaldo de la butaca.

—Mañana lo sabré.

—¿Qué harás?

—Ir a ver a Policarpo Fernández, si es que todavía sigue viviendo en el mismo sitio, con su clan familiar y toda la gente que le rodeaba entonces, igual que un pequeño ejército.

—Siento haberte causado tantos problemas —se lamentó ella.

—Mateo era mi amigo, y pese a reencontrarle, no volví a verle desde octubre pasado.

No le dijo la causa de que no regresara.

Celoso de su intimidad con Patro.

Dispuesto a no seguir castigándose con el pasado.

—Estar con papá era como viajar al infierno —concedió María absolviéndole de toda culpa—. Yo tampoco habría vuelto.

Miquel sostuvo su mirada. Era una mujer mayor, castigada. Quizá algún día volviera a ser amada. Quizá algún día amaría de nuevo. Quizá algún día el tiempo reflotaría su corazón y su esperanza igual que un corcho sumergido en lo más profundo del mar. Sus ojos eran libros abiertos. Cualquiera podía leer en ellos. La última tragedia de su vida acababa de dejarla sola.

—He de irme —susurró él.

—Quédate a cenar. No hay mucho, pero algo...

—No, María, en serio, gracias —intentó detenerla.

—Por favor. Esta mañana has dicho que Patro está fuera.

—¿Sabes lo cansado que estoy?

No insistió con la voz. Lo hizo con la mirada.

Miquel no pudo luchar contra eso.

Quizá seguía debiéndoselo.

—Está bien —se rindió—. Pero haz lo que tengas a mano, ¿de acuerdo? Yo ni siquiera pensaba cenar, te lo digo en serio. Lo único que necesito es dormir ocho horas seguidas.

María se levantó y fue a la cocina.

20

La cena era parca, sencilla, pero lo peor era lo extraño que se sentía. No por comer con María, a solas, sino por estar allí, en casa de Mateo. En octubre le había prometido regresar y nunca lo hizo. Después del viaje al Ebro y de casarse con Patro, cuando ya no escuchaba la voz de Quimeta en su cabeza, decidió que lo único que le importaba era lo que tenía.

Su segunda oportunidad.

Por eso estaba vivo, y había sobrevivido a una pena de muerte y a ocho años y medio en aquel infierno demencial llamado Valle de los Caídos, construyendo la tumba futura del dictador. Por eso merecía la pena seguir, aun tragando toda la mierda que tragaban los derrotados de la guerra.

España volvía a ser de los militares y los curas.

Amén.

—¿En qué piensas?

—En nada, perdona —se excusó por su silencio.

—Te pasa como a papá: te abstraes y desapareces.

—Lo siento.

—No seas tonto, Miquel. Llevábamos catorce años sin vernos pero en el fondo no has cambiado. Sigues siendo aquel policía.

—No, ya no.

—Yo creo que sí. A papá le mataron los sueños, pero a ti no parece que te hayan cortado las alas. Has pasado todo el día yendo de un lado para otro persiguiendo sombras. Y sólo porque esta mañana te he dicho lo que te he dicho.

—Se lo debo.

—No, ya no os debéis nada.

—Entonces lo hago por ti.

—¿Qué harás si descubres quién le mató?

—Lo que temo es descubrir el motivo.

—¿Tan grave puede ser?

—Me temo que sí. Tu padre no se habría metido en un lío si no fuera importante. Y la policía no habría hecho lo que ha hecho si se hubiera tratado de perseguir a unos delincuentes vulgares. A los delincuentes les encierran y punto, no les torturan para sacarles información.

Ella dejó la cuchara en el plato.

—No creo que resista que vuelvan. —Se estremeció.

—No creo que lo hagan. Tampoco son tontos. Ya te tuvieron.

María bebió un sorbo de agua, pero ya no pudo volver a coger la cuchara. Se quedó mirando lo que le quedaba de la sopa casi abstraída.

—¿Tenía tu padre alguna cita mañana?

—No, ¿por qué?

—¿Con el médico, con alguien...?

—No, no. Al menos que yo sepa.

—Lo anotó en un papel, 31 de mayo. —De pronto recordó la libreta y se levantó. La cogió del bolsillo de su chaqueta y regresó con ella a la mesa.

La colocó frente a su anfitriona.

—¿Qué es esto? —preguntó la mujer.

—Son cosas que escribió. La mayoría en estas últimas semanas o meses. La guardaba en casa de Esperanza Sistachs, imagino que por miedo o vergüenza de que tú la encontraras y leyeras algo.

La hija de Mateo Galvany alargó la mano y tomó la libreta. Le bastó con dar una simple ojeada para entender el resto.

—Son poemas —musitó.

—Deberías leerlos.

—No podría. —Dejó la libreta en la mesa como si quemara.

—Sí puedes —dijo él—. Descubrirás otro padre, el más íntimo. Los misterios y secretos de los padres suelen asustar a los hijos, pero es necesario conocerlos algún día para entender qué eran o quiénes eran en realidad, más allá de lo que representaban. Esas cosas son las que nos hacen carnales. Por mucho que te inquiete o te incomode, ése era el hombre que te dio la vida. —Señaló la libreta—. Ahí están los sentimientos de un ser humano renacido. Ahora ha muerto, así que esto te pertenece.

—No. Los escribió para ella, sería igual que... ¿Por qué te lo ha dado?

—Ha pensado que te servirían.

—Pero son suyos. Puede que su único recuerdo.

—Voy a dejarte aquí esa libreta igualmente. —Continuó comiendo—. Si no la quieres, devuélvesela tú misma.

—¿Por qué?

—Porque es una buena mujer, porque os haréis amigas, porque os necesitáis y porque, de alguna forma, Mateo os ha unido.

—Así de fácil.

—Así de fácil. —Sorbió la última cucharada.

—Eres un hombre singular, Miquel.

—¿Yo? Para nada.

—Me gustaría conocer a Patro.

—De acuerdo —asintió.

—¿Cuando todo esto haya pasado?

—Sí.

—¿Tiene familia?

—Sólo una hermana más pequeña. La otra murió.

147

—Todo el mundo parece estar solo.

—Supongo que la guerra ha sembrado esta vida de muchas mitades. Algunas se encuentran y se completan. Tú también lo harás.

—No, yo no.

—Ya lo verás.

—Ya estuve casada. No necesito un hombre, Miquel. No quiero volver a llorar por nadie más.

—Entonces búscatelo joven.

María tardó en comprender que era un retazo de buen humor. Casi un chiste. No sonrió hasta que le vio sonreír a él. Entonces sí chasqueó la lengua.

—Bobo —dijo.

—De todas formas, piénsatelo. ¿Nadie te ha echado los tejos?

—En el trabajo.

—Ya ves.

—Le falta un ojo, le sudan las manos, fuma que apesta y es más bajo que yo.

—Un regalo.

—Tú sí pareces feliz —habló de nuevo en serio.

—Cuando vine aquí en octubre, hubiera pedido perdón por eso. Ahora ya no.

—Me alegro por ti.

—No entendía por qué seguía vivo, ni aceptaba el hecho de tener un futuro. Pensaba sólo que yo vivía de más cuando tantos otros habían caído.

—Papá también sentía esa culpa.

—Patro me hizo libre. Tal vez tu padre estuviera dispuesto a serlo con lo que fuese que tuviera entre manos con esos otros cuatro hombres.

Mantuvieron un breve silencio.

Luego María se levantó, recogió los dos platos y caminó hasta la cocina. Miquel miró la hora. Ya había anochecido. Lo que más deseaba era estar en casa. Por la mañana un entierro. Por la noche cenaba con la hija de su amigo. Todos los días se parecían entre sí, pero a veces uno se ponía del revés sin más.

La libreta era una mancha oscura sobre el mantel blanco.

Alargó la mano y la abrió por la última página.

El teléfono de Maurici Sunyer, la fecha del 31 de mayo, algunas palabras sueltas.

«Libertad», «¡Bum!», «Esperanza»...

—Había conseguido dos huevos. —Primero reapareció la voz de María y luego ella—. He hecho tortilla, ¿te parece?

—No tendrías que gastarte el racionamiento conmigo.

—La próxima vez invitas tú.

Colocó los dos platos en la mesa y se sentó de nuevo en su sitio. Las dos tortillas tenían un aspecto delicioso, amarillas como pedazos de sol en la tierra. Miquel tomó el tenedor con la mano derecha y un poco de pan negro con la izquierda.

—Háblame de esa mujer —le pidió de pronto María.

21

El último taxi del día se detuvo en la esquina de Valencia con Gerona. El taxista era de los silenciosos, profesional y concentrado, así que Miquel hizo el trayecto desde Sants relajado y pensando únicamente en su cama. Por la mañana tenía dos opciones, a cuál más peregrina: visitar a su viejo «enemigo» Policarpo Fernández, el Poli, y buscar en Montjuïc algún indicio de la presencia de Maurici Sunyer por allí.

Entrenándose.

Un manco lanzando piedras.

—Buenas noches, señor —le deseó el taxista.

Bajó del coche y subió a la acera. Apenas si había un par de ventanas iluminadas en la fachada del edificio. El piso, sin Patro, era como una tumba. Con ella, en cambio, hasta el aire era más alegre. La oía canturrear de aquí para allá, eternamente niña.

Cada vez más mujer.

Dio un paso, dos...

El tercero.

Los dos hombres salieron de las sombras, se materializaron de la nada. Se encontró con uno a cada lado y su sola presencia le hizo doblar las rodillas antes de que lo sujetaran. Parecían hechos en serie. Dos copias. Dos malas copias de sí mismos.

En sus días de policía, todos eran distintos.

El país era distinto.

—¿Miguel Mascarell? —Lo pronunció con marcado acento castellano, con la «g» bien diferenciada y la «ll» convertida en «l», como si no supieran declamar «cuello», «botella» o «lluvia» y en su lugar también dijeran «cuelo», «botela» o «luvia».

De todas formas era una pregunta estúpida, porque ya le tenían bien sujeto.

—Sí.

—Acompáñenos. —El más alto le mostró una insignia escondida bajo la solapa de su chaqueta.

Era absurdo resistirse, y absurdo tratar de saber por qué lo llevaban preso. A lo primero, no le dejarían. Y de lo segundo no dirían una palabra hasta llegar a comisaría. No estaban allí para conversar, sólo para detenerle.

Intentó mantenerse en pie.

El coche estaba aparcado al otro lado, en el chaflán de enfrente. Ni lo había visto. Cruzaron la calle en silencio, sin tráfico cerca. Miquel sentía aquellas zarpas de acero apretándole los brazos, casi llevándole en volandas. Eso al menos le ayudó a no doblarse sobre sí mismo. Cuando alcanzaron su destino vio que un tercer hombre se sentaba al volante. Tres policías para él. Todo un despliegue.

—¿Le habéis registrado? —preguntó el conductor.

—No —dijo el de su derecha.

—Coño, ¿y a qué esperáis?

—No es más que un viejo.

—¿Y qué? Viejos o jóvenes, de éstos no puedes fiarte, Mariano.

Le cachearon allí mismo, con eficiencia, los dos.

—Nada.

—Va, subidlo, que es tarde.

—Entra ya, hijo de puta. —El de la izquierda le empujó.

—Anda que no llevamos horas ni nada esperándote, cabrón —escupió sus palabras su compañero mientras rodeaba el coche para entrar por el otro lado.

Quedó insertado entre los dos.

La mente en blanco.

¿Qué o quién...?

El coche arrancó con suavidad. Nada de sirenas. Miró su casa con la sensación de que tal vez no fuera a volver y sintió una punzada en el pecho. Eso le fastidió. No quería morirse de un infarto en un vehículo oficial, con tres siniestros Hermanos Marx rodeándole.

Intentó no pensar en Patro.

Tocó su anillo de casado, como si pudiera apoyarse en él.

—Ya íbamos a echar la puerta de tu piso abajo para esperarte en él. —Mantuvo su tono de desprecio el que llevaba la voz cantante.

No habían entrado en su casa.

No habían encontrado la caja de zapatos con el dinero del que vivían.

Tuvo ganas de llorar.

Antes no le hubiera importado morir. Ahora sí.

—¿No dices nada?

—¿Qué quieren que diga?

—Así, con respeto, muy bien —asintió el otro.

—Dejadle en paz, no vaya a mearse en los pantalones, como el de ayer —les advirtió el conductor.

—Pero bien que le dejamos sin tranca para repetirlo, ¿no?

Se rieron y poco más.

Eso fue todo.

El coche enfiló por la Vía Layetana y ya no se detuvo hasta llegar a la Comisaría Central.

La última vez que estuvo allí, en julio del 47, no había sido agradable. Aquel policía de nuevo cuño, el comisario Amador, le dijo que esperaba no volver a verle. Cuando el padre de Celia Arteta mató a Rodrigo Casamajor temió que tarde o temprano dieran con él. Pero aquel pobre hombre cumplió su palabra: no dijo nada. Cargó con todo, vengando la muerte de su hija. Sus últimas palabras fueron: «¡No se rinda!».

Aquello había sido un milagro.

Y no se había rendido.

Esta vez...

Bajó del coche con un sudor frío invadiendo su cuerpo. Habían torturado a Mateo y a Pascual Virgili y, siendo así, lo más probable es que hubieran hecho lo mismo con Enric Macià. Estaba seguro de que no soportaría el más mínimo dolor físico. A su edad, ya no. Mateo era la prueba, él se había rendido, aunque en su caso estaba la salvaguarda de María.

Aun así moriría por Patro.

—¡Andando, figura!

No le llevaron arriba, a los despachos, sino abajo, a los calabozos. Ya era de noche. El motivo de la detención se lo dirían al día siguiente, y las preguntas también se las harían al día siguiente. De momento estaba allí. Pasaría la noche entre rejas.

Después de un día demoledor.

Bajó dos tramos de escaleras, pasó dos filtros y un control. Le quitaron la correa del pantalón y los cordones de los zapatos. También le vaciaron los bolsillos. Lo peor fue tener que sacarse el anillo de casado.

—¿Podría...?

—¡Que te lo quites, cojones!

Se lo quitó. Todo fue a parar a una bolsa. Luego le empujaron por otro pasillo. Los que le habían detenido no iban ya con él. Ahora le acompañaban simples agentes uniformados. El que caminaba delante abrió una celda. El de atrás le empujó. Dio un par de pasos trastabillando y se detuvo en el centro, mientras la puerta de hierro se cerraba a su espalda con estrépito, más del necesario, para molestar e impedir el sueño de los que ya llenaban aquel pequeño espacio.

Porque allí había no menos de dos docenas de personas.

Los que trataban de dormir se dieron la vuelta. Los más habituados ni se dignaron abrir los ojos. Los que permanecían de pie o sentados en el suelo le observaron. Nadie se movió. Defendían su espacio. Miquel también paseó una mirada a su alrededor. El «personal» era variopinto, aunque la mayoría tenía aspecto de vulgares chorizos callejeros: ropas baratas, remendadas, sucias, cabellos revueltos, bocas con pocos dientes, rostros entecos y mal afeitados, ojos huidizos, miseria y el sello de identidad de los desheredados. La otra España. La que el régimen ignoraba.

Entonces escuchó aquella voz.

—¿Inspector?

Le costó reconocerlo. No lo veía desde el 36. Y si entonces era un raterillo de poca monta, en torno a los veintitantos años, ahora era un adulto que mostraba la misma sensación de desamparo, como todos, después de que la vida le hubiera pasado por encima como una apisonadora.

—¿Lenin?

—¡Eh, no me llame así, hombre, que me pierde! —Le hizo bajar la voz, mirando con miedo en dirección a la reja de la puerta—. Venga, venga.

Agustino Ponce, alias Lenin, porque se parecía al muy ilustre revolucionario ruso, le hizo un sitio a su lado. Para ello tuvo que empujar a otro preso.

—¡Aparta, hombre, que éste es un señor! —le dijo por todo argumento.

El sacrificado era más bajito y débil que él, así que refunfuñó, lanzó una aviesa mirada a Miquel y se apartó para que donde había dos cupieran tres.

Se sentó a su lado.

La cara de Agustino era todo un poema.

—¿Qué hace aquí, hombre? —preguntó boquiabierto.

—Ya ves.

—Pero ¿no era usted de los buenos?

Casi le hizo sonreír.

—Ahora soy de los malos. Parece.

—Ya veo, ya. La de vueltas que da el mundo. —Mantuvo su sorpresa—. ¡Y la de tiempo que ha pasado!

—Y que lo digas.

—¿Cuándo fue la última vez que me trincó por algo?

—En el 36, poco antes de la guerra.

—Pues anda que no ha llovido ni nada. ¿Qué ha hecho en estos años?

—Estaba preso, ¿y tú?

—Yo luché en el frente, y luego... Puede imaginárselo. Pero voy tirando. Me casé y tengo una parejita. ¿Qué le parece? Mi mujer es una santa.

—Todas lo son.

—Ella más, que se lo digo yo. Si no fuera por la familia...

—Tú eres un superviviente.

—No, tuve suerte. Los pobres nunca salimos de pobres, pero a veces eso también nos mantiene a flote. Oiga —le escrutó con cara de preocupación—, parece cansado.

—No lo parece, lo estoy.

—Pues tranquilo, que aquí está conmigo.

—¿Vas a ser mi protector? —Ahora sí forzó una sonrisa.

—Usted siempre me trató bien —dijo muy serio—. Ni una hostia ni nada. Yo siempre decía: «El inspector Mascarell es buena tela. Él, a lo suyo pero legal». Y eso se agradece, ¿sabe? Cuántos de mis amigos se quedaron sin dientes, porque usted tenía colegas que...

—Pues menos mal. —Apoyó la cabeza en la pared y respiró aquel aire fétido en el que se mezclaba el sudor con la suciedad, el olor a vino o a tabaco con el de pies que llevaban semanas sin ver el agua—. Oye, ¿por qué está esto tan lleno? Parece un tranvía en día de fútbol.

—¿Qué quiere que sea, hombre? ¡Lo de la venida!

—¿Qué venida?

—Pero ¿en qué mundo vive, inspector? —Su cara mostró el pasmo que sentía. Bajó la voz al decir—: ¡El tío Paco!

Miquel frunció el ceño.

—¿Franco?

—¡Pues claro!

—¿Cuándo viene Franco?

—¡Hay que ver! Pero ¿de dónde me sale usted? ¡Mañana! ¡Llega mañana a Barcelona, por el puerto, sobre las siete o así, cuando ya no hace sol, para que no se le ablanden los sesos y pueda ir en coche descapotable! ¿No me diga que no se había enterado? ¡Si hoy sale en todas partes!

No había ojeado ni siquiera *El Mundo Deportivo* en el bar de Ramón.

Nada.

—¿Así que han hecho redada? —asintió.

—Como las otras dos veces —le dio la razón—. Viene él y los demás a chirona. Todos. Por si acaso. Que no quede nadie sospechoso o raro por la calle, no vayamos a quitarle la cartera, que seguro que no lleva ni un duro encima, pero... Mire, mire. —Abarcó al personal de la celda con las dos manos—. Menuda colección, ¿eh? Lo malo es que ahora estamos dentro los buenos y los malos corren por fuera.

Empezó a zumbarle la cabeza, como siempre que sus pensamientos se atropellaban y estallaban como cohetes aquí y allá.

Franco.

—¿Qué viene a hacer aquí?

—¡Y yo qué sé! ¿Cree que me llama y me lo dice? «Agustino, mira que voy a pasarme por ahí.» —Bajó la voz, aproximó su cabeza a la suya y la convirtió en un susurro cargado de mal aliento—: ¡Tocar los huevos, supongo! ¿A qué quiere que venga? Ayer estaba en Madrid, dándoles la copa a los valencianos. Se ve que se aburre y ha pensado: «Vamos a ver qué hacen esos catalanes de los huevos, no sea que se desmanden y vuelvan a liarla».

31 de mayo.

«Libertad», «¡Bum!», «Esperanza».

—Se ha quedado sin aliento —le hizo ver Lenin.

—Un poco.

—Pues si le han trincado como a todos, por precaución, tranquilo: de aquí no sale hasta que él se largue a los Madriles otra vez, o sea que tenemos para dos o tres días, mínimo. ¡La de cosas que nos vamos a contar, inspector!

Una voz áspera rugió cerca de ellos.

—¿Queréis callaros de una puta vez y dormir?

Desde el exterior de la celda, otra voz fue aún más conminante.

—¡Esa lengua, Morales! ¿A que entro y te la lavo con jabón?

Hubo algunas risas.

Luego nada.

Miquel cerró los ojos sabiendo que sería una larga noche.

Tal vez el comienzo de unos largos días.

Día 2

Martes, 31 de mayo de 1949

22

Estaba con Patro.

Abrazado a ella, y ella a él, muy juntos.

Nunca había podido dormir sin pijama. Patro, en cambio, dormía siempre desnuda, aun en lo más frío del frío invierno. Eran dos contrastes curiosos, noche y día. Por lo general le acababa desnudando, despacio, caricia a caricia, como en un juego. Y si le daba por tiritar le cubría con su cuerpo, eternamente cálido.

Olía tan bien...

Y era tan suave...

No quiso despertar. Sabía que era necesario, pero se aferró al sueño. Quizá como protección instintiva. Los sueños hermosos debían durar siempre.

Patro eructó.

Entonces abrió los ojos.

No, no era Patro. Era Lenin. Su viejo amigo chorizo que acababa de eructarle en plena cara, abrazado a él con la apacible tranquilidad de un hijo amoroso.

—Maldita sea... —Apartó la cara.

Se deshizo como pudo de aquel cepo. Lenin debía de estar acostumbrado a dormir en precario, porque ni se inmutó. En cambio a él se le rebeló el cuerpo, haciendo que desde todos sus músculos surgieran gritos de protesta que convergieron en su cabeza.

Se la sujetó con las manos.

Cuando salió del Valle de los Caídos, después de ocho años y medio de dormir en duro, le costó acostumbrarse a una cama decente, con un colchón, una almohada y el silencio. Y le costó habituarse a no depender de horarios para ponerse en pie, trabajar, comer o acostarse. Cuando Patro y él convivieron juntos, el cambio fue todavía más fuerte.

Bastaba una noche para volver al pasado.

Miró a su alrededor. Allí no había luz diurna, pero lo más probable es que ya hubiese amanecido. La magra bombilla del techo seguía proyectando más sombras que luces. Sus compañeros de infortunio dormían y roncaban como si tal cosa. Se sorprendió por haberse quedado traspuesto tantas horas pese a la incomodidad. Pero había pesado más su cansancio.

Retomó las sensaciones del día anterior.

María, Mateo Galvany, los cuatro hombres de aquella trama, Policarpo Fernández...

No era el momento de romperse la cabeza, sino de razonar y sobrevivir, una vez más.

Si Lenin llevaba razón y estaban todos allí como medida de precaución por la visita de Franco, no tenía nada que temer. Pero sería dramático cuando Patro llegase a casa por la noche y no le encontrase.

¿Cuántos días podría estar sin saber nada de él antes de volverse loca?

Reapareció la amargura.

Alivio si su detención no tenía nada que ver con el caso, pero amargura por su nueva realidad carcelaria.

Movió los brazos, las manos, desentumeció los músculos. Luego hizo lo mismo con las piernas. Poco a poco sus terminaciones le fueron respondiendo. Primero con dolor, después con el cosquilleo de la vida agitando su sangre. Pese a todo, no pudo ponerse en pie.

Se estaba orinando.

Y había un hombre sentado en el retrete, dormido sobre él.

Aguantó lo que pudo.

Diez minutos, veinte, media hora.

Hasta que el guardia se encargó de devolverlos a la vida.

—¡Vamos, pandilla de gandules, abrid los ojos! ¿Qué os pensáis, que esto es el Ritz? ¡Arriba!

—Arriba tu puta madre —masculló uno muy alto y grueso en voz baja, con los puños apretados.

Lenin se desperezó.

Su buen humor era extraordinario.

—Buenos días, inspector —le deseó al verle.

—No me llames inspector.

—Tranquilo, que éstos me conocen.

—Desde luego, cualquiera diría.

—¿Qué se le va a hacer, hombre? —Bostezó de manera ostensible—. Lo que no tiene remedio, no tiene remedio. ¿De qué sirve hacerse mala sangre?

—¿Aquí dan de comer?

—Sí, dentro de un rato. Pero pan y agua, no crea.

Ya no podía aguantarse más. El tipo que dormía sobre el retrete estaba despierto y se había apartado para que empezara la procesión de reclusos con sus necesidades, cortas o largas. Si esperaba al último reventaría.

Lenin comprendió su desesperación.

—¿Quiere aliviarse?

—Sí —se rindió.

—Venga. —Se levantó raudo y le ayudó a incorporarse.

Una vez le había dicho a Mateo Galvany, después de que se pusiera de muy mala uva y le atizara a un preso:

—Todas las que des ahora puede que un día te las devuelvan.

Mateo se le había reído.

No haberle dado ninguna bofetada a Lenin significaba ahora su buena suerte.

Cosas de la vida.

—A ver, apartaos —les pidió a los de la cola, con respeto pero con determinación—. Este señor es mayor y tiene problemas de próstata, no seáis malas personas, venga. Ya me gustará veros a vosotros a su edad. Además, está aquí por un error.

Eso último fue lo que les hizo reír.

Y se rieron.

Bendito Lenin.

Le costó orinar pese a que se moría de ganas. De pronto reinaba el silencio y era como si todos esperasen escuchar el ruido de su micción. El inodoro era lo más sucio y asqueroso que jamás hubiese visto, superando incluso los del Valle.

—¿Le damos un empujoncito, abuelo? —se burló alguien.

—Ea, no seáis burros —se quejó su inusitado protector.

Tuvo que concentrarse, y finalmente lo logró. Incluso hubo aplausos. Cuando terminó se abrochó la bragueta botón a botón pensando lo peor: que si también tenía que defecar allí, sería el fin. Lenin lo devolvió a su lugar y luego él hizo cola, como los demás. Tardó casi diez minutos en volver, con las manos mojadas de orín.

—Es para que no se me sequen —le dijo—. Una de las pocas cosas buenas que me enseñó mi padre. ¿Sabe que en no sé dónde se beben los meados propios y les va muy bien?

—En la India.

—¿Donde los vaqueros y los del Séptimo de Caballería?

—No, en la India de la India, que desde hace poco es un país independiente, no los indios de Estados Unidos.

—Es que usted está letrado, insp... señor Mascarell. Por eso estaba donde estaba, hacía lo que hacía, y yo...

—Pues hemos acabado los dos en el mismo sitio.

—Eso sí es verdad, ¿ve?

Guardaron silencio un momento, aunque con Lenin era imposible pasar más de dos o tres minutos callado. Bajó la cabeza y su mente fue de Patro a María, y de ella a Mateo, y de Mateo a Roura, Sunyer, Macià y Virgili.

Luego Esperanza, Pura, la señora Luisa, la vecina de Roura, aquel niño...

Los personajes del pequeño gran teatro en que se había convertido el caso.

¿Y por qué lo llamaba caso?

Franco.

Macià trabajaba en Capitanía General.

Un médico, un ex policía, un impresor, un ex atleta manco y alguien que sabía cosas, como por ejemplo cuándo llegaba el Generalísimo a Barcelona.

Era absurdo, y sin embargo...

—¿Se encuentra bien? —volvió a hablar Lenin.

—Sí.

—Está muy serio. —De hecho dijo «ta mu serio».

—¿Cómo quieres que esté?

—Nos soltarán, hombre.

—¿Y el susto?

—Más nos asustamos entonces, ¿no?

—¿Y tu mujer?

—Sabe de qué va el percal. ¿Usted está solo?

—No.

—Eso es bueno.

—¿Qué haces cuando estás fuera?

Agustino Ponce sacó sus mal alineados dientes a tomar aire, porque lo suyo no fue exactamente una sonrisa, sino más bien una mueca cómplice.

—¡Es que pregunta usted cada cosa!

—¿Todavía...?

—Hago lo que puedo, hombre. ¿Qué quiere? No nací ilustrado, ni tuve mucha suerte, usted bien lo sabe. Y encima la guerra. ¿Cree que hay trabajo para nosotros? Para ser legal hay que tener estudios, amigos, una oportunidad...

—Me dijiste anoche que luchaste en la guerra.

—Con Durruti, sí señor —lo proclamó bajando la voz pero con orgullo—. Lástima que esos cerdos le mataran tan pronto, porque gente como él era la que hacía falta. Si hubiéramos ganado...

—Si hubiéramos ganado, yo seguiría siendo inspector y te estaría trincando —bromeó no sin cierto pesar.

—No, porque sería un héroe. —Le miró de arriba abajo—. ¡Y además usted estaría jubilado, Errol Flynn!

Se echaron a reír los dos.

Ahora sí, camaradas.

Eso fue un segundo antes de que apareciera un guardia en la puerta, golpeara los hierros con la porra y gritara de nuevo en castellano:

—¡Mascarell! ¡Miguel Mascarell!

—Vaya —dijo Lenin sorprendido—, van a soltarle.

Miquel miró al guardia con acritud.

Si seguía allí, era por ser como los demás, un «individuo potencialmente peligroso» ante la visita de Franco, sólo eso.

Si le llamaban a declarar...

—¡Aquí! —Se incorporó por segunda vez haciendo un esfuerzo muy grande.

Su compañero nocturno hizo lo mismo.

Se encontró con su mano tendida. La mano en la que acababa de orinarse.

—Suerte —le deseó.

—Gracias, Lenin. —Le palmeó el hombro.

—¡Chist!

—¡Venga, Mascarell, que no tengo todo el día! —le apremió el guardia.

Caminó en dirección a la puerta de la celda sintiendo sobre su cuerpo las miradas de todos los demás.

—¡Nos vemos fuera! —Fue lo último que le dijo Agustino Ponce.

23

Arregló su traje lo mejor que pudo y olió la tela. No se había impregnado demasiado de los olores de la celda, pero arrugado sí estaba. Y él, sin afeitar, no ofrecía el mejor de los aspectos. La cara de cansancio debía de hacer el resto. Se peinó con las manos mientras esperaba a que le devolvieran sus objetos personales, los cordones de los zapatos, el cinturón, el reloj, el anillo... Eso sólo podía significar dos cosas: o que iban a dejarlo libre o que iban a trasladarlo a otra parte. Si no estaba allí como los demás chorizos, en plan preventivo por la visita del Caudillo, la primera no tenía sentido si antes no le interrogaban. La segunda le asustaba demasiado porque abarcaba un sinfín de interrogantes.

El fantasma de Mateo y sus socios seguía aleteando muy cerca, demasiado como para ignorarlo, aunque era imposible que su amigo hubiese dado su nombre cuando le torturaron.

El guardia le dejó que se pusiera el cinturón y los cordones de los zapatos. Lo hizo en un banco, lo más rápido que pudo porque sabía que cualquier cruce de cables equivalía a un grito, un empujón o algo peor. Por suerte, le había dado la libreta de Mateo a María. Después subieron las escaleras, de los calabozos de abajo a las dependencias de arriba, y de éstas a los despachos.

El mismo camino final del 47.

Se le encogió el corazón.

El despacho del comisario Amador no había cambiado nada. Como si hubiese estado allí el día anterior y no casi dos años antes. Una mesa, dos armarios, dos archivadores, un mapa de España, otro de Cataluña, otro de Barcelona, el ventilador y los símbolos franquistas por excelencia: el crucifijo y el retrato de Franco, más uno de José Antonio que parecía nuevo. Pura asepsia policial, tan impersonal como una morgue.

—¡Siéntate! —le ordenó el último policía que le conducía, un chico demasiado joven, quizá, para saber lo que era el respeto hacia una persona mayor, aunque se tratase de un delincuente.

Se sentó.

No llevaba esposas.

No estuvo solo más allá de un minuto. El comisario apareció por la misma puerta por la que él acababa de entrar. Lo hizo despacio, paso a paso. Rodeó la mesa y se sentó en su silla. Miquel permaneció con la vista fija en el suelo hasta que el silencio le obligó a levantar la cabeza y fijarla en él.

Entonces supo que no, que no estaba allí como «preventivo».

En el 47, la segunda vez, Amador le había dado una soberana bofetada.

Toda una hostia.

El hombre le escrutó con fijeza, tal vez buscando una debilidad, una rendición, un punto débil o que se traicionase a sí mismo. Tampoco él había cambiado. Cuarenta y tres o cuarenta y cuatro años, todavía con menos cabello en la parte superior de la cabeza, ojos duros, mandíbula recta, barbilla hundida formando aquel inusitado ángulo de 45 grados con la papada y la prominente nariz. Su elegancia seguía siendo un sello de identidad. El traje, oscuro, cruzado, quizá fuera el mismo de entonces. La corbata era de color granate fuerte.

Lo primero ligeramente parecido al rojo que veía en uno

de ellos, porque si pudieran lo eliminarían hasta de los colores del arco iris.

—¿Recuerda lo que le dije la otra vez, señor Mascarell? —Rompió el fuego tratándole con toda amabilidad.

—Sí.

—Recuérdemelo.

—Que si volvía a verme otra vez, aquí o donde fuera, me haría fusilar.

—¿Dije fusilar? —Frunció el ceño.

—Bueno, me recordó que todavía lo hacían.

—¿Y cuándo fue eso?

—El 25 de julio de 1947.

El comisario alzó una ceja.

—Tiene buena memoria.

La tenía, pero además nunca olvidaba aquella bofetada, ni el momento en que le llamó «rojo maricón de mierda». Recién salido del Valle de los Caídos fue el primer choque con su nueva realidad, la que le esperaba, la realidad con la que les tocaba vivir a todos.

«Rojo maricón de mierda.»

—Pues ya ve. Ha vuelto —dijo el comisario.

Era un pulso. Y un pulso se ganaba o se perdía, sin alternativas. Si bajaba la cabeza admitía culpa. Si mostraba miedo, toda su inferioridad. Si la mantenía en alto y sostenía aquella mirada, era un reto, un desafío.

La mantuvo en alto.

Por dignidad.

Era todo lo que le quedaba.

El comisario dejó pasar un puñado de segundos, hasta que exhibió una sonrisa de superioridad y se apoyó en el respaldo de su silla relajándose un poco.

Miquel no bajó la guardia.

A fin de cuentas, los métodos policiales no habían cambiado tanto, salvo en la violencia.

—Santo cielo, parece salido de una cloaca.

¿Le decía que la hacinada celda en la que acababa de pasar la noche era una cloaca?

—¿Puedo preguntarle por qué me han detenido? —se atrevió a hablar.

—¿Tiene prisa?

—No.

El relajamiento se hizo más ostensible. El comisario alargó las piernas por el hueco de la mesa y cruzó las dos manos apoyándolas en el borde superior. Enfadado era peligroso. Sonriendo, más.

Sonrió.

—Casi dos años ya. —Suspiró—. Y me dicen que se ha casado, y con una mujer más joven.

—He tenido suerte.

—Yo diría que mucha. ¿De qué vive?

—Mi mujer tenía ahorrillos y trabaja, ayuda en una mercería. Hacemos lo que podemos, como todos.

—Eso parece, ¿verdad?

Los que le esperaban el día anterior para detenerle habían hecho su trabajo, preguntando, tal vez a los vecinos, a la portera, incluso a Ramón.

Era todo lo que sabían.

Siguió conteniendo cualquier atisbo de nervios.

—No sabe por qué está aquí. —No fue una pregunta, fue una aseveración.

—No.

—Anteayer mataron a un hombre, Mateo Galvany. Un hombre al que tuvimos aquí unos días como invitado muy especial. —Se dejó de socarronerías—. Era sospechoso de andar metido en actividades antisociales, le interrogamos y le dejamos libre. Pero resulta que ayer le entierran, mando a un agente para que controle a los que asisten al sepelio, y cuando me los describe... mira por dónde aparece usted, el viejo ins-

pector Mascarell que creía olvidado si no fuera porque esto
—se tocó la cabeza con un dedo—, me funciona muy bien y
tengo una excelente memoria. —Retornó la aparente calma—.
Nunca se me olvida una cara, lo cual es bueno para este trabajo. Usted también fue policía y seguro que sabe de qué le
hablo.

No dijo nada y Amador le obligó a hablar.

—¿Lo sabe?

—Sí.

—Bien. —Volvió a exteriorizar sus reflexiones—. Me cuentan que fue al entierro, descubro que Mateo Galvany fue su
superior antes del Alzamiento, me pongo a buscarle para hacerle unas preguntas... y no aparece por casa en todo el día.

—Me afectó mucho su muerte.

—Sí, supongo que cuando las barbas de tu vecino ves pe-
lar... ¿Usted tiene...?

—Sesenta y cinco.

—Bueno, aún le queda cuerda para rato si se cuida. —Le
hundió una mirada acerada—. ¿Se cuida?

—Lo intento.

Mareaba la perdiz. En cualquier momento estallaría, o gri-
taría o haría algo peor. De momento le controlaba, gestos,
ojos, reacciones, un posible temblor en la voz o en las piernas... Tácticas policiales. Eternas como la vida misma.

—¿Veía mucho al señor Galvany?

—No, le tenía olvidado, incluso dado por muerto de no
ser porque hace unos meses, en octubre del año pasado, volví
a verle.

—¿En qué circunstancias?

—Pasé por delante de su casa, quise comprobar si vivía,
subí y allí estaba.

—¿De qué hablaron?

—De los viejos tiempos, claro.

—¿Nostalgia?

Era una pregunta trampa.

—No, no. Anécdotas y todo eso.

—¿No hablaron mal del régimen?

—Perdimos la guerra. —Fue lo único que se le ocurrió decir.

—Y estaban vivos, o al menos sigue estándolo usted, gracias a la misericordia del Generalísimo.

—Sí.

—Dígalo.

Estaba vivo porque en el 47 alguien le sacó de la cárcel para colgarle un muerto y ser el perfecto cabeza de turco.

Pero se lo calló.

—Estamos vivos gracias a la misericordia del Generalísimo.

—No lo olvide. —Le apuntó con un dedo y continuó, sin aparente premura, como si fuera una charla informal entre amigos—. ¿Volvió a verle?

—No.

—¿No? ¿Por qué?

—Estaba muy amargado y hundido físicamente. Yo había vuelto a vivir en paz y era feliz. Supongo que escogí el camino fácil.

—¿Le dio la espalda a su amigo?

Pinchaba en hueso. Y dolía.

Dolía porque era verdad.

Trató de mantener la calma porque, una vez más, lo que estaba en juego era su supervivencia, y también la de Patro.

—Le di la espalda a mi viejo jefe. No éramos amigos.

—¿Así que sólo le vio esa vez?

—Sí.

—Octubre del año pasado.

—Sí, puede preguntar.

—No hace falta, le creo —asintió lleno de condescendencia—. Sin embargo, fue a su entierro.

—Su hija María sabía dónde vivía porque esa vez le dejé

mis señas. Mandó a por mí y no tuve más remedio que acudir a su llamada para estar a su lado.

—¿Qué le dijo esa mujer?

—Pues que habían detenido a su padre unos días y que afortunadamente lo dejaron libre, pero que el domingo sufrió ese atropello.

—¿Qué más?

—Nada más. —Su rostro mostró extrañeza.

—¿Le contó el motivo de la detención?

—No.

—Ahora no le creo, ¿ve?

—Mateo era de los que no abrían la boca para nada. Todo se lo quedaba dentro. Su hija me dijo que pasó tres días en casa mudo, recuperándose. No salió hasta el domingo y entonces...

—También la detuvimos a ella.

—Dudo que Mateo, a sus años, estuviera metido en nada, pero desde luego María imposible.

—¿Sabe que le preguntamos por unas personas?

Si decía que no, se la jugaba. Tenía que darle algo, y luego demostrar su inocencia.

—Sí, eso sí me lo dijo. Pero no las conocía.

—¿Recuerda esos nombres?

—¿Yo? No, ¿por qué?

—Las preguntas las hago yo, ¿recuerda cómo va esto? —Esperó y los soltó uno a uno, en castellano—: Esteban Roura, Enrique Maciá, Mauricio Sunyer y Pascual Virgili.

—Nunca los había oído —se arriesgó a mentir.

Todo el día anterior había dejado un rastro, como los caracoles.

Si ellos volvían a investigar...

Sintió el sudor en las manos.

—Mascarell...

—¿Sí?

—No juegue conmigo.

—Sólo quiero volver a casa, señor.

—Comisario. No me llame señor.

—Sólo quiero volver a casa, comisario.

—Claro, claro. A sus años, con una mujer joven y guapa... Quién se metería en líos, ¿verdad? Sería de locos.

El sudor de las manos aumentó. ¿Y si ya sabían que había visitado a la viuda de Virgili y a la familia de Macià?

¿Tan rápido?

Era imposible, pero aun así respiró con fatiga.

—¿Se encuentra bien?

—Hace calor, no he dormido, tengo hambre...

—¿Qué hizo ayer después del entierro?

—Acompañé a María a su casa, le hice compañía un buen rato y después paseé.

—Paseó mucho.

—No tenía ganas de volver a la mía. Mi mujer está de viaje. Cuando se muere alguien siempre te afecta, aunque haga años que no le ves ni tengas tratos con él. Comí un bocadillo, pensé en ir al cine para distraerme un poco...

Les sobrevino otra pausa.

—Mascarell, usted fue policía. —Se lo recordó una vez más.

—Sí.

—Estaba en el bando equivocado, en un tiempo equivocado, pero lo fue, y eso me merece algo de respeto, ¿sabe? De colega a colega.

—Gracias.

—Pero ¿me está diciendo que matan a su ex jefe después de haber estado detenido varios días, y no siente ninguna curiosidad?

—¿Por qué habría de sentirla? María me dijo que le atropellaron accidentalmente.

—¿La primera vez que sale de casa? ¿Cree usted en las casualidades?

No era un buen actor, tenía cara de palo, pero intentó serlo.

—¿Le atropellaron a propósito? —Trató de mostrar desconcierto.

El pulso entre los dos llegaba a su punto crítico. Amador no iba a perder más tiempo con él. Comprendió que se había cansado de jugar cuando le vio ponerse en pie y caminar hacia la ventana, dándole la espalda.

Se tomó su tiempo antes de volver a hablar.

—Sabe que puedo mandarle abajo otra vez, ¿verdad? O, como le dije la última vez, hacerlo fusilar. Excusas no me faltarían.

—Lo sé.

—¿Es lo que quiere?

—No.

—Hay algo en usted que... no me gusta. —Convirtió su expresión en una mueca de desagrado que Miquel vio de perfil, con la luz de la ventana incidiendo en su rostro—. Es una especie de orgullo que no entiendo. Un orgullo estúpido y ciego. —Llenó los pulmones de aire y lo soltó despacio—. Pierden su guerra, salvamos la patria, les perdonamos, tratamos de vivir todos de nuevo en paz en esta gloriosa España que nos acoge y de la que recibiremos lo mejor en el futuro, nosotros y nuestros hijos, y ustedes... usted, todavía con ese maldito orgullo, ahí sentado, con miedo pero...

Abandonó la ventana y caminó con la vista fija en el suelo y las manos a la espalda. A Miquel, de pronto, se le antojó un cruce de Hitler y Mussolini. Advirtió el peligro de inmediato, pero no pudo hacer nada, sólo esperar.

Amador rodeó su silla por detrás.

Miquel tragó saliva.

El golpe, de lado, le derribó al suelo, silla incluida. No pudo ni darse la vuelta porque el comisario se le plantó encima, hundiéndole la rodilla en el costado. Le cogió por las solapas y tiró de él con todas sus fuerzas. Su cara ya no era amable. Estaba rojo y tenía venitas sobresaliéndole por las sienes.

—¿Me toma por idiota? —le gritó salpicándole con gotitas de su saliva.

Negó con la cabeza.

—¿Por qué debería creerle?

—Porque a mis años sólo quiero vivir en paz —dijo despacio.

—¡Vive en paz porque barrimos el comunismo de España! —Se le llenó la boca con el nombre—. ¡Nosotros cambiamos aquel caos por orden y fe!

No supo qué decir.

Era la última andanada.

De allí salía vivo y andando o volvía a la cárcel.

Transcurrieron unos segundos. El tono rojo fue desvaneciéndose del rostro del comisario. Lo mismo las venitas de las sienes. La presión de las manos en las solapas menguó. La de la rodilla desapareció. Poco a poco una sonrisa afloró en sus labios.

—Sí, usted fue un buen policía. —Movió la cabeza de arriba abajo.

—Lo fui.

—Leí cosas después de conocerle. Lástima que escogiera el lado equivocado. Hubiera servido bien en estos tiempos.

—Los años no pasan en balde.

El comisario se incorporó. Lo primero que hizo fue enderezar su corbata, luego tirar de los faldones de su chaqueta hacia abajo. Recuperó su elegancia y compostura. Se pasó las manos por la cabeza por si alguno de sus escasos cabellos estaba fuera de lugar. Paso a paso regresó a su silla, dejando que Miquel se levantara solo.

Le costó.

Recogió la silla, por si tenía que volver a sentarse en ella.

—¡Lorenzo!

El policía uniformado apareció a la de tres. Se quedó en la puerta esperando una orden que tardó en llegar.

La última mirada de Amador fue muy fría.

—¡Saque a este desgraciado de aquí!

El policía sujetó a Miquel por un brazo y tiró de él. El perfume de la libertad le dio alas a los pies. Llegaron casi a salir del despacho.

—Mascarell.

Volvió la cabeza para enfrentarse a su adiós.

—Van dos veces —le advirtió—. A la próxima no me importará el motivo, ni que sea el mayor de los santos convertidos a la verdad: le haré fusilar y en paz.

Ya no hubo más.

24

Pisó la acera de la Vía Layetana todavía aturdido.

La Central era un hervidero: la actividad frenética, los agentes entrando y saliendo a la carrera, nervios. Un vértigo. Una locura.

Llegaba Franco.

El Caudillo, el Generalísimo.

Y él estaba libre.

El orgullo que sentía por haber aguantado el interrogatorio sin venirse abajo ni traicionarse chocaba con el sinfín de preguntas que iban de un lado a otro por su mente. ¿Le había creído Amador? ¿Era por ser viejo? ¿Por qué no devolverlo a la celda veinticuatro horas más? ¿Y si el plan era el mismo que con Mateo, seguirle y ver qué hacía?

Miró hacia atrás.

No, Mateo estaba metido hasta las cejas y lo sabían. Todo lo que acababa de decirle al comisario como salvaguarda propia obedecía a una lógica. Y encima, en un día como aquél, cuando seguro que hasta habían recibido refuerzos de Gerona, Lérida, Tarragona y quién sabe si de Zaragoza o Valencia, hacerle seguir era un lujo. Iban a poner Barcelona patas arriba.

Seguían buscando a Roura y a Sunyer, estaba seguro de ello.

El plan, matar a Franco, estaba desactivado.

¿O no?

31 de mayo, «Libertad», «¡Bum!», «Esperanza».

¿O la última se trataba del nombre de su amiga y no de la palabra en sí?

Pero ¿cómo iban a matar a Franco cinco desgraciados, entre ellos un bocazas y un manco, que eran los que seguían libres?

¿Y si su intuición, por más que pocas veces le hubiera fallado, convertía un simple caso de lo que fuese en algo tan trascendente como aquello?

¿Todo porque Mateo había anotado aquella fecha en una libreta de poemas, seguida de unas palabras peculiares?

¿Todo porque lo que unía a aquellos cinco hombres era su odio hacia el régimen y la figura del dictador?

No, era porque uno trabajaba en Capitanía General y había sabido con antelación cuándo visitaría Franco la ciudad, y porque otro era médico, y porque un paciente suyo, el único que no jugaba al ajedrez, se estaba muriendo y poco debía importarle ya su vida, y porque el cuarto era un ex policía con conocidos tan desconcertantes como Policarpo Fernández, y porque el quinto estaba loco, un loco peligroso capaz de una locura como aquélla.

Por eso.

Cruzó la Vía Layetana y se detuvo en un escaparate fingiendo atarse de nuevo el zapato. No vio nada alarmante por el reflejo del cristal. Después subió sin prisas hasta la plaza Urquinaona. Caminó hasta la plaza de Cataluña. No volvió la cabeza ni una sola vez, pero estuvo atento a los detalles y siguió espiando su espalda por el reflejo de los escaparates en los que se detenía. Sentía una especial activación de sus músculos, algo raro teniendo en cuenta la noche que acababa de pasar. Activación y tensión. El último golpe, el de la caída, le tenía ligeramente paralizado el brazo izquierdo. Abrió y cerró la mano, lo levantó y trató de que no se le anquilosara.

Cuando se sentó en uno de los bancos de la plaza de Cataluña, con el día recién iniciado, las calles llenas de gente y las palomas revoloteando por encima de su cabeza, acompasó la respiración y ordenó sus pensamientos.

¿Era posible matar a Franco?

—Buena pregunta. —Suspiró.

Si estaba en lo cierto y ésa era la clave, ¿se habría metido Mateo en ello en plan suicida sin una mínima posibilidad?

Mateo no era estúpido.

Así que la respuesta parecía sencilla: sí, era posible hacerlo.

Continuó sentado otro buen puñado de minutos mientras el mundo daba vueltas a su alrededor.

Un anciano más, sentado en un banco.

Tenía dos opciones: irse a casa o seguir.

La primera representaba la paz, el olvido, la dulce espera de Patro que llegaba por la noche. La segunda equivalía a seguir jugándosela, pero también a ser fiel a sus principios.

Le había prometido a María averiguar por qué murió su padre.

También se lo debía a Mateo.

Al diablo con Franco. Lo único que necesitaba averiguar era quién le atropelló a él.

Por traidor.

Miquel soltó una bocanada de aire. Cuando era inspector solía decir que nadie es bueno ni malo, que todo depende de las circunstancias. Y decía que cada ser humano tenía luces y sombras.

¿Lo asesinaron además para protegerse o para proteger el plan?

No, eso ya no. Ni lo uno ni lo otro.

Sólo la venganza.

Se levantó de pronto, caminó en dirección a la boca del metro que daba a las Ramblas y bajó por las escaleras. Una vez abajo se camufló en una esquina y esperó.

Cinco minutos.

Una vez más, nadie sospechoso.

Siguió caminando. Escogió la Avenida de la Luz, el paseo subterráneo lleno de animación. Fue arriba y abajo, y acabó retornando al exterior por el acceso de la calle Vergara. Cuando salió por él aceleró el paso y no paró hasta el cruce de Balmes con la Gran Vía, la nueva Avenida de José Antonio Primo de Rivera.

Entonces sí detuvo un taxi.

Le dio la dirección y volvió la cabeza por última vez, para estar seguro del todo.

Luego se relajó.

Los Fernández, el clan al completo, vivían en Hospitalet de Llobregat. El taxista enfiló la Gran Vía en dirección a la plaza de España. En la primera mitad de los años treinta, Policarpo, Terencio y Abelardo eran los más listos. Sabían nadar y guardar la ropa. Los expertos decían que sus tácticas y técnicas delictivas estaban inspiradas en los métodos americanos de Al Capone y compañía. Policarpo había estado en Chicago en los buenos tiempos de la ley seca. Un emigrante más. Aprendió en la mejor escuela. Y regresó a España, posiblemente deportado, expulsado... Si a Capone sólo le habían podido meter entre rejas por un delito fiscal, significaba que el resto lo tenía limpio.

Como ellos.

Entre esposas, hijos, primos y demás, el clan llegaba al centenar de personas antes de la guerra.

—Mira, Miquel —solía decirle Mateo—, a mí cualquier delito me repatea los higadillos, y encima la mayoría de los delincuentes son tontos, se creen más listos que el hambre, como si nosotros fuéramos mancos. Pero el que sale inteligente, pero inteligente de verdad, y es consciente de lo que hace y por qué lo hace, me merece un respeto. Los dos sabemos a lo que vamos, sin caretas.

Los Fernández eran así.

Sabían a lo que iban y lo hacían bien.

Que Mateo tuviera que ver con ellos resultaba insólito.

Pero entre 1936 y 1949 había llovido mucho.

Lenin luchando junto a Durruti por la República, por ejemplo.

El barrio de los Fernández era un campo minado. Cuando uno entraba en él, una docena de ojos lo acompañaban en silencio. Allí nada se escapaba a su vigilancia. Todo estaba controlado. Y el centro del barrio era la calle principal en la que vivían ellos tres, en casas contiguas, sin lujos ni alardes pero sin que faltara de nada. Todos para todos.

Cuando el taxista intentó doblar la última esquina, se encontraron con la multitud.

Mil o más personas agolpadas en aceras y calzada.

Un gentío silencioso casi enteramente enlutado.

—¿Qué hago, caballero? —preguntó el taxista.

—Déjeme aquí.

—Habrá pasado algo, digo yo. ¡Qué barbaridad, cuánta gente!

Le abonó el servicio y se bajó. Una vez solo, miró calle arriba. Las tres casas se encontraban en el lado izquierdo, y se accedía a ellas por un corredor o pasadizo que daba a un patio vecinal. Si no recordaba mal, la de Policarpo era la del centro y las de sus dos hermanos la flanqueaban.

La muchedumbre parecía estar concentrada precisamente en ellas.

Caminó despacio, tratando de escuchar algo, pero la gente, o hablaba en voz baja, o mantenía la boca cerrada. Algunas mujeres lloraban.

Aquello era un enorme duelo.

Podía preguntar, pero prefirió no hacerlo.

Siguió caminando, abriéndose paso entre el gentío. Cuanto más se aproximaba a las casas, más densa era aquella marea humana. Casi al final tuvo que pedir permiso para avanzar. Primero le miraban, luego se apartaban. Aun sin afeitar y con aspecto cansado, algunos reconocían en él lo que siempre había sido, como si todavía llevase la credencial grabada en la frente.

Había una cola frente al pasadizo que daba acceso a las casas. Una cola que avanzaba muy despacio. Los que salían de él lo hacían cariacontecidos, ojos llorosos. Miquel pasó de la cola y se internó por aquel camino que en vida policial había recorrido sólo dos veces. Un hombre quiso detenerle.

Se miraron.

Y el hombre se apartó.

Llegó al patio.

El féretro se hallaba en el centro, sobre un túmulo, ligeramente elevado por la parte de la cabeza; así que, aunque a duras penas, pudo reconocer a Policarpo Fernández. Llevaba trece o catorce años sin verle y parecía más joven que entonces. Un buen trabajo de los embalsamadores. Muy bueno. Tenía un enorme cirio en cada una de las esquinas y una cruz de plata presidiendo la cabecera. En el lado izquierdo, de cara a la gente que pasaba por delante y testimoniaba su dolor, la familia más directa ocupaba una docena de sillas. Vio a la viuda, a media docena de sus hijos, ya mayores, y también a Terencio.

El hermano del muerto le reconoció.

Se miraron, sólo eso.

Luego Miquel dio media vuelta y recorrió el pasadizo a la inversa.

Cuando llegó a la calle esperó.

Terencio Fernández no se hizo esperar. Apenas dejó transcurrir un minuto. Llegó hasta él y se lo quedó mirando con una mezcla de sorpresa y desconcierto. No hizo ningún gesto, y menos el de tenderle la mano. Sólo aquella mirada. La gente bajaba los ojos ante él y se apartaba con respeto. Tanto que se hizo un círculo a su alrededor.

—Inspector. —Hizo un leve gesto con la cabeza.

—Hola, Terencio. Ya veo que llego en mala hora.

—Muy mala hora.

Terencio Fernández tendría unos tres o cuatro años menos que él, rondaría los sesenta y poco más. Mantenía su cabello y su envergadura. De hecho, los tres hermanos Fernández habían tenido siempre una presencia imponente: altos, barrigones, cabezones, mandíbulas cuadradas, ojos de mirada fría, cejas espesas. Los años no hacían sino acrecentar ese aspecto y conferirle más poder. Como muchos de su gremio, para sus convecinos eran santos, impartían su propia ley, eran justos, generosos.

Poderosos en tiempos de la República y, podía apostar lo que fuera, igualmente intocables en la dictadura.

Listos, como decía Mateo.

—¿Qué le ha pasado a Policarpo?

—¿No ha venido por eso? —se extrañó Terencio.

—Ya no soy policía.

—¿Ah, no?

—Puedes echarme a patadas, por los viejos tiempos.

—Precisamente por los viejos tiempos no lo haría nunca. Para mí siempre será el inspector Mascarell.

—Ya no hace falta que me llames de usted.

Terencio Fernández atendió a los detalles, el traje ajado, la barba de un día, el cansancio.

—Si ya no es policía ni sabía que mi hermano había muerto, ¿por qué está aquí?

—Porque mataron a un amigo mío.

—¿Quién?

—Mateo Galvany. El inspector Galvany.

—¿El jefe? —Levantó las dos cejas muy sorprendido.

—Sí.

—Coño.

—¿No lo sabías?

—¿Por qué tenía que saberlo? —Mantuvo el tono de sorpresa.

—Tenía algo con tu hermano.

—Bueno, cada cual lo suyo. No nos lo contábamos todo, aunque... ¿Dice que lo mataron? ¿Cuándo?

—Anteayer.

—¿Cómo?

—Lo atropellaron y se dieron a la fuga.

—¿Fue intencionado?

—Sí.

Terencio Fernández bajó los ojos y se miró la punta de los zapatos, impecables y lustrosos. Vestía un traje negro de buen corte. No parecía un banquero, pero sí el propietario de una ganadería taurina. Llevaba un alfiler de oro en la corbata, gemelos en la camisa y dos anillos en cada mano. La cadena y la cruz, también de oro, debía de llevarlas por debajo de la camisa.

—Usted no cree en las casualidades, ¿verdad, inspector?

—No, nunca he creído en ellas.

—¿Seguro que el inspector Galvany tenía algo con Policarpo?

—Sí, seguro.

—¿Tantos años después y de pronto amigos, o socios, o lo que fuera?

—Eso parece. Venía a preguntárselo.

La presión de las mandíbulas fue evidente. Formaron un ángulo de noventa grados durante unos segundos.

Terencio Fernández hundió su mirada más acerada en él.

Y se lo soltó igual que un latigazo.

—A mi hermano le pegaron un tiro ayer.

25

La habitación era pequeña y olía a rancio, como si por allí no hubiera pasado nadie en semanas o meses. Bajo la mortecina luz de una lamparita que colgaba del techo, porque tampoco daba al exterior, el único mobiliario consistía en dos sillas, dos butacas y una mesa insertada entre ellas. Terencio ocupó una y él la otra. Estaban solos, sin oídos próximos. El hombre que les acababa de acompañar hasta allí se había quedado fuera, custodiando la puerta o, mejor dicho, a la espera de cualquier orden de su jefe, porque en el corazón del clan era imposible que pudiera suceder nada malo. De las cuatro paredes colgaban carteles de corridas de toros.

Miquel contó siete.

—¿Sabe, inspector? —Habló primero el dueño de la casa—. Ni en sueños habría imaginado una escena como ésta. Usted y yo, aquí, en mi casa, hablando como amigos.

—No me llames inspector. —Se lo repitió por segunda vez.

—Para mí, usted siempre será el hijoputa del inspector Mascarell. —Le enseñó los dientes en una sonrisa cargada de ironía y mala leche.

Tenía uno de oro, reluciente.

—Siempre fuiste el más chistoso de los tres.

—En la vida unas risas sirven más que ninguna otra cosa.

—¿Hiciste la guerra, Terencio?

—A mi modo.

—Yo también.

—¿En el frente?

—No, aquí, pero luego estuve preso hasta el 47.

—Lo paso mal, ¿eh?

—Desde luego.

—Usted era de los fieles, leales hasta la médula, y seguro que sigue siéndolo.

—Tú y tus hermanos, en cambio, erais de los que se doblan como juncos según de dónde sople el viento. Y aquí seguís.

—Abelardo ya no.

—¿Murió?

—Él sí luchó contra los fascistas.

—Tenía un punto romántico.

—Los idealistas mueren jóvenes.

—Ahora sólo quedas tú.

—Quedamos muchos, inspector. Eso es lo bueno. Lo malo es que ellos lo saben y cada día aprietan un poco más.

—Así son los nuevos tiempos.

Terencio se arrellanó en la butaca, como dispuesto a mantener una larga conversación, aunque no tan trivial como la que estaban manteniendo.

—¿Por qué ha venido a ver a Poli?

—¿Puedo hacerte una pregunta antes? —dijo, y continuó al ver el gesto de asentimiento de su interlocutor—. ¿Sabes quién le mató?

—No, pero daré con él, se lo aseguro. Ahora responda.

—Hace unos días el inspector Galvany y tu hermano se pusieron en contacto. No sé quién dio el paso, creo que Mateo. Probablemente le pidió algo a Policarpo.

—¿Qué podía ser?

—Ni idea, pero el día 18 Policarpo mandó a alguien a casa de Galvany. No lo encontró y le dejó el recado a su hija: que viniera a verle, aquí o donde tengáis ahora «las oficinas».

María recuerda el nombre: Policarpo. Mateo hizo lo que le pedía tu hermano y, tras reunirse los dos esa noche, regresó muy tarde. Dos días después les detuvieron, a los dos. María no sabía nada del asunto que su padre se llevaba entre manos, y él, para salvarla, delató a los que estaban implicados en el tema, sus amigos, socios o lo que fuera. María salió libre. De los cuatro hombres a los que denunció Mateo, cogieron sólo a dos. Los otros dos escaparon. De los detenidos, uno murió a las primeras de cambio en los interrogatorios. El otro sigue preso. Mateo estuvo seis días en la Central, sometido a torturas. No debía de saber nada más, y mucho menos dónde se escondían los huidos; pero, por si acaso, la policía le dejó libre y pusieron a un perro de presa tras sus pasos. A sus setenta y seis años, mi viejo jefe se pasó tres días en casa, agotado, sin abrir la boca. El domingo salió y entonces le atropellaron. A la descarada. El policía que le seguía disparó sobre el coche sin acertarle. Lo único que se sabe es que conducía un hombre.

—Lo mataron por delator, está claro. Lo que se llevaran entre manos ya se había ido al garete.

—Es lo que yo pienso.

—Tuvo que ser uno de los dos huidos, a no ser que hubiera alguien más metido en el asunto.

—Opino lo mismo.

—¿Cree que mi hermano tuvo algo que ver en eso?

—No, y menos habiéndole asesinado también a él.

—¿La misma persona?

—Sí, Terencio. La misma persona.

Asimiló la información. Hundió sus ojos en uno de los carteles y los dejó allí fijos unos segundos. Sólo le faltaba un puro habano entre las manos.

—¿Quiénes son esos hombres?

—Enric Macià, que trabajaba en Capitanía General; Pascual Virgili, un médico del corazón; Maurici Sunyer, un enfermo suyo que había sido atleta y al que le falta un brazo, y Esteve Roura, el encargado de una imprenta.

—¿Ellos y el inspector Galvany?

—Sí.

—Un extraño grupo.

—Cierto.

—¿Qué iban a hacer?

—No lo sé —mintió.

Otra pausa, la segunda, más breve.

—Así que alguien delató al inspector Galvany —dijo Terencio Fernández.

—Sí.

—¿Y quiere saber quién lo hizo?

—Fue después de ver a tu hermano. Cayeron sobre él como lobos.

—¿No creerá que fue Poli? —Convirtió sus ojos en dos rendijas.

—Sé que era legal. Delincuente o no, tenía su ética. Tú también la tienes, Terencio. Y no eres tonto. Venía a verle a él y resulta que también ha sido asesinado. ¿Qué más quieres? Eso nos hace compañeros ocasionales. Tú mismo has dicho que no crees en las casualidades.

—Mi hermano era muy cuidadoso con lo suyo, usted lo sabe mejor que nadie.

—Me consta.

—Tuviera lo que tuviese con el inspector Galvany, lo sabrían él y muy pocos más.

—Entonces tienes un topo. Un confidente en casa.

La presión de las mandíbulas se hizo mayor esta vez. También el rictus de furia. Una delación era grave. Tener un topo mucho más. Que ella le costara la vida a su hermano...

—La persona que mató a Mateo intuyó la verdad: que alguien de Policarpo le había ido con el cuento a la policía. No tuvo más que sumar dos y dos. Lo que está haciendo es una venganza en toda regla. Primero Mateo, después tu hermano.

—Mierda, inspector... —rezongó Terencio.

—¿Cómo pudieron matarle? ¿No iba nadie con él?

—Salía de ver a una amiga. —Hizo un gesto con la mano como para decir que eso era lo de menos—. Alguien le esperaba en el rellano. Cuando los que le esperaban abajo subieron, el asesino ya se había largado por las azoteas.

—¿Cómo es que os han dejado traer el cuerpo aquí y organizar el funeral...?

No acabó la pregunta. No era necesario.

Poder y dinero siempre iban de la mano.

—Policarpo es un santo en el barrio —le hizo ver el dueño de la casa—. Ésta es nuestra gente. ¿Ha visto cómo está la calle? El barrio entero ha venido a mostrarle sus respetos.

Miquel esperó.

Quedaba el interrogante final.

—Vamos, Terencio —se cansó de marear la perdiz—. Haz ya la pregunta. Ahora mismo es todo lo que nos queda.

El hombre asintió.

La hizo, palabra por palabra.

—¿Cómo era el que fue a casa del inspector Galvany?

—Traje oscuro, no muy alto, siniestro, ojos pequeños, con una cicatriz aparatosa que le iba desde la barbilla en diagonal hasta la mitad del cuello.

Reaccionó como si le hubiera disparado.

Un estremecimiento.

El tic en la mirada.

El peso esparciéndose por todo su cuerpo hasta aplastarle en la butaca.

Miquel ya no dijo nada.

Terencio Fernández se puso en pie, movió la cabeza para desentumecer los músculos del cuello y las vértebras cervicales, agarrotadas por la presión producida por lo que acababa de escuchar, y esperó a que su visitante hiciera lo mismo.

—Estamos enterrando a Poli, inspector. Es hora de ir al cementerio —le dijo con aire grave—. ¿Podría llamar por teléfono en... digamos un par de horas?

—¿A qué número?

El delincuente sacó una pluma de oro del bolsillo interior de su chaqueta y un papel del bolsillo delantero, una simple factura que parecía ser de una tintorería. Le escribió el número, le entregó el papel y se guardó la pluma.

—Dos horas. Si tarda más, ya no sabrá nada —le advirtió mientras caminaba hacia la puerta de la habitación.

26

El taxi le dejó por encima de la zona donde, según Pura, Maurici Sunyer «practicaba» para volver a ser el atleta que había sido, en la recta que pasaba por delante del Estadio y luego seguía hacia Miramar. La ladera de la montaña estaba llena de barracas apretadas, así que si hubiera subido por la calle Margarit, que era la utilizada por Sunyer, habría tenido que pasar entre ellas y encima superar todo aquel desnivel.

Demasiado para sus fuerzas.

Una vez pagado el servicio, miró cuánto le quedaba. Si seguía cogiendo taxis todo el día agotaría lo que por suerte llevaba encima al salir de casa el día anterior, y no tendría más remedio que regresar a por más dinero.

Sabía que si volvía caería rendido sobre la cama y ya no saldría de nuevo.

Luego llegaría Patro.

Y al día siguiente le costaría mucho más seguir investigando.

No, ¿qué estaba diciendo? ¿Al día siguiente? Ya no había día siguiente. Lenin le había dicho que Franco desembarcaba en Barcelona alrededor de las siete de la tarde. Si estaba en lo cierto, pasara lo que pasara, ya nunca sabría quién había matado a Mateo. Roura y Sunyer desaparecerían o serían pillados.

¿Y si, pese a todo, lo conseguían, y la ciudad era un caos?

¿Conseguirlo, un manco y un loco?

¿Cómo?

Mientras caminaba por la montaña, acercándose a la pequeña explanada abierta sobre la populosa zona de barracas, siguió dándole vueltas a lo hablado con Terencio Fernández. La muerte de Policarpo era un ingrediente más en la historia, y no baladí. Los Fernández eran enemigos muy duros. No perdonaban. No dejaban pasar ni una. Palabras como «honor» y «familia» eran sagradas para ellos. Un clan cerrado y hermético. Si efectivamente uno de ellos era un confidente de la policía, su delación había provocado la detención de Mateo, y como réplica, Policarpo había sido asesinado...

Todo tan lógico.

Era evidente que el asesino había llegado a las mismas conclusiones.

Tenía más dudas y preguntas.

¿Por qué Mateo fue atropellado y Policarpo abatido con un disparo? ¿El atropello para que pareciera un accidente y el crimen para que fuese evidente el sentido de venganza?

Encajaba, sí.

Roura y Sunyer. Sunyer y Roura.

Llegó al borde de aquel espacio momentáneamente vacío. Si miraba hacia abajo, veía el profundo desnivel habitado por aquella pequeña ciudad mísera y flotante hecha de barracas de cartón y madera, metal y otros desechos, entre la cual se hacinaban los desheredados del tiempo. Meras sombras que parecían invisibles aun siendo muy reales. Si miraba al frente veía la ciudad, la tupida alfombra formada por los techos de las casas, extendida desde la falda del Tibidabo hasta el mar y perdida a ambos lados, hacia Hospitalet por la izquierda y la costa del Maresme por la derecha. Se construían edificios sin cesar, las chimeneas y las torres de la Sagrada Familia apuntaban al cielo. Los campos iban desapareciendo, engullidos por el asfalto. Los emigrantes del sur de España llegaban en oleadas, trenes llenos. Cataluña volvía a ser el motor de un país que, una vez más, trataba de renacer.

El día era de nuevo luminoso, y pronto el sol descargaría con mayor intensidad. Mejor no perdía mucho tiempo antes de que el calor le castigara y se le comiera todavía más las fuerzas.

Caminó unos metros y buscó algo en el suelo. El lugar era llano y no muy grande, ideal para que los niños jugaran al fútbol aunque continuamente la pelota se les fuera montaña abajo, por entre las barracas. Temió no dar más que palos de ciego hasta que divisó las piedras.

Una docena de ellas, a un lado, más o menos grandes pero no muy pesadas, capaces de ser cogidas con una mano.

Se agachó y tomó una.

La sopesó.

Allí estaban las piedras, ahora...

Buscó algo más en derredor y lo encontró, a unos veinte metros de distancia. Habían trazado en el suelo un cuadrado de unos dos metros de lado, rascando la tierra para que fuera más o menos visible. Allí también encontró un par de piedras, una dentro y otra fuera. No tenía ni idea de a qué distancia podía tirar una pesa un lanzador, y menos con una sola mano.

Volvió a sopesar las piedras.

Eran más livianas, seguro, así que llegaban más lejos.

Regresó al punto de lanzamiento y cogió una piedra. La arrojó lo más lejos que pudo. Luego otra. Y otra más. Con la tercera consiguió su objetivo: alcanzar el cuadrado. No repitió su éxito hasta la séptima.

Dejó de practicar jadeando.

Seguía solo. Miró a su alrededor y lo único que escuchó fue el silencio. La última vez que estuvo en Montjuïc, cerca de allí, en el balcón de Miramar, lo hizo con Quimeta. Se dio cuenta de que con Patro no iba a los mismos lugares en los que paseó con ella. Dos mujeres, dos mundos. No quería mezclar.

Y lo apreció en ese momento, sin venir a cuento.

O quizá sí.

Todo estaba relacionado, conectado.

Caminó de nuevo por el lugar, de regreso al límite bajo el cual se amontonaban las barracas, y se sentó un momento en el suelo. No se veía a muchas personas, algunas mujeres moviéndose por entre aquellas falsas paredes y un par de niños jugando, descalzos.

La pobreza siempre iba descalza.

La gitanilla apareció entonces.

Salió de la última casa, por decirlo de una forma generosa, y se lo quedó mirando. Era muy bonita, unos ocho, nueve o diez años, difícil precisarlo. Llevaba un vestido ajado, descolorido, el cabello ralo y sucio, los pies polvorientos y la cara tiznada. Sus ojos, por increíble que pareciera, eran transparentes, de un gris perfecto e inmaculado. Flotaban en medio de su redonda carita como faros en la oscuridad de su piel aceitunada. Era tan guapa que dolía. Una muñeca todavía perfecta, al borde de la rotura que la vida y la miseria le impondrían.

Sintió pena.

Pero también un ramalazo de inquietud.

Entonces la llamó.

—¡Eh!

La niña le miró muy seria.

—Ven. —Le hizo la seña con la mano.

Se hizo la remolona. Primero movió la cabeza de lado a lado. Después fingió indiferencia, le dio la espalda. Finalmente volvió el cuerpo y hundió en él su mirada más penetrante.

—Ven —le repitió.

Tardó cinco segundos más en reaccionar.

Luego subió el desnivel, despacio, y se detuvo a unos tres metros sin cambiar su expresión seria y desconfiada pese a la sonrisa de Miquel.

—Quiero preguntarte algo —dijo él.

No hubo respuesta.

Miquel le enseñó un duro.

—Toma.

Un duro era un duro. Lo miró con ojitos ávidos, como si fuera una chocolatina. Dio dos pasos y alargó la mano. Con un gesto rápido se lo arrancó de la palma y retrocedió de nuevo, aprisionándolo con fuerza.

—Quiero preguntarte algo.

El mismo silencio.

—Ahí arriba venía un hombre a tirar piedras.

La niña parecía una estatua. Ni un parpadeo. Sólo aquella mirada penetrante.

—¿Tú le viste alguna vez?

—Sí. —Rompió su mutismo con una voz clara y llena de matices infantiles.

—Entonces ya te has ganado ese dinero. —Señaló la mano que aprisionaba las cinco pesetas—. ¿Quieres ganarte otro duro?

Ella asintió con la cabeza.

—¿Le faltaba un brazo?

—Sí.

—¿Cuál?

Hizo memoria.

—Éste. —Se tocó el izquierdo.

—¿Venía solo?

—Al final sí, los últimos dos o tres días, antes venía con otro hombre.

—¿Y qué hacía el otro hombre?

—Tiraba de un carrito.

—¿De un carrito?

—Sí.

—¿Cómo?

—Pues tirando. —Se encogió de hombros—. Lo sujetaba con una cuerda y corría arrastrándolo por el suelo alrededor del otro.

—¿Y eso por qué?

—El que tiraba las piedras tenía que acertar y meterlas dentro del carrito.

Asimiló la novedad. El pasmo le hizo perder unos valiosos segundos, nublándole la concentración. La niña le tendió la mano libre.

—¿Me da el otro duro?

—Sí. —Lo sacó del bolsillo—. ¿Corría mucho el del carrito?

No respondió. La mano seguía allí, extendida.

Miquel abrió la suya y dejó que ella cogiera el dinero, esta vez con menos desconfianza y rapidez.

—Dime, ¿corría mucho el del carrito? —repitió la pregunta.

—Un poco, pero el hombre al que le faltaba un brazo las metía siempre dentro. Sabía jugar.

—¿Les viste siempre a ellos dos?

—Una vez vinieron tres, otra cuatro. Al comienzo. Al final sólo el que las tiraba.

—¿Dibujó un cuadrado en el suelo?

—Sí.

—¿Cuando venían dos o tres les oíste hablar?

—No.

—¿Cuándo fue la última vez que viste al manco?

—¿Qué es eso?

—El hombre con un solo brazo.

—Hace unos días.

—¿Cuántos? ¿Tres, cuatro, cinco...?

—Unos días, no sé.

Allí el tiempo debía de ser muy monótono, y para una niña como ella, sin escolarizar, una sucesión de horas interminables, repetidas y vacías.

—¿Ya no viene?

—No.

Por lo menos se había ganado su confianza. Con los dos duros en la mano, ella ya no tenía prisa ni hacía ademán de irse. Miquel seguía sentado, pacífico. La mirada de aquellos ojos grises le dolía cada vez más. Era como si pidieran algo a gritos.

—¿Cómo te llamas?

—Lola.

—Bonito.

—¿Para qué quería saber todo eso?

—Porque estoy buscando a ese hombre.

—¿Quiere hacerle daño?

—¡No! —Le extrañó que ella imaginara algo tan espantoso, a su edad—. Quiero verle porque éramos amigos y le estoy buscando desde que salí de la cárcel.

—¿Ha estado en la cárcel?

—Sí.

—Mi padre está ahora. —Apuntó al corazón de la ciudad con su dedo índice—. En la Modelo. Se llama Genaro, ¿le conoce? Genaro Sánchez.

—No, no le conozco, lo siento.

Lola sonrió. Ahora ya sí. Él era de los suyos. Tenía los dientes blancos y menudos, y también una deliciosa sonrisa. Un ángel al que muy pronto harían daño.

—Si me da otro duro le digo algo más.

—¿Qué es?

Extendió la mano con la palma abierta, sin dejar de sonreír.

Ya sabía latín.

—¿Cómo sé que me será útil?

—Conozco a alguien que puede saber dónde está ese hombre, el ma... man...

—Manco —la ayudó.

—Eso.

—¿Quién es esa persona?

La mano se movió en el aire. Los dedos se flexionaron hacia delante y hacia atrás.

Miquel buscó en su bolsillo. No tenía más duros en moneda, pero sí pesetas sueltas. Reunió cuatro y dos piezas de dos reales cada una. Volvió a depositarlas en aquella palma tiernamente sucia.

—La última vez que vino se fue con mi prima —dijo la niña.

—¿Adónde?

—No lo sé, pero puedo ir a buscarla.

—De acuerdo.

—¿Me esperará aquí?

—Sí.

—¡Hasta ahora!

Fue en un visto y no visto, le dio la espalda y echó a correr montaña abajo, pasando entre las barracas como una flecha hasta desaparecer de su vista.

27

Primero fueron cinco minutos.

Después diez.

A los quince empezó a pensar que Lola acababa de tomarle el pelo o que no encontraba a su prima. Era lo más cerca que había estado de Sunyer.

Visualizó la escena. Roura tirando de un precario carrito que arrastraba con una cuerda mientras Sunyer arrojaba sus piedras tratando de meterlas dentro. Y luego, el deportista manco, ya solo, haciendo lo mismo con un cuadrado trazado en el suelo, para mantenerse activo y entrenado.

Un carrito, un coche. ¿Tan sencillo?

Cerró los ojos.

Cuando volvió a abrirlos las vio a las dos, subiendo montaña arriba.

Lola era un ángel; su prima, una niña hecha mujer.

No pudo apartar los ojos de ella mientras se acercaban. Le calculó unos veinte o veintiún años, aunque también pudiera ser que se quedara en diecinueve, tan guapa o más que la gitanilla, cabello alborotado, labios sensuales, ojos rasgados, cuerpo voluptuoso, con la misma piel cobriza. Vestía una blusa con el escote en forma de barca y una falda larga hasta los tobillos. Sus pies estaban igualmente descalzos, como los de su compañera. Los únicos adornos eran unos brazaletes baratos en ambas muñecas.

Sin pretenderlo, evocó la figura de Patro al conocerla, desnuda, en aquel balcón, amenazando tirarse abajo si se le acercaba. Una figura que jamás olvidó y que ahora, diez años después, era suya.

Las dos aparecidas se detuvieron en la ladera. La parte superior daba la impresión de ser una especie de frontera. Miquel se puso en pie sacudiéndose el trasero para quitarse el polvo. La primera en hablar fue Lola.

—No quería venir, pero le he dicho que usted le dará dinero por contestar a sus preguntas, ¿verdad?

—Sí, le has dicho bien —asintió él.

La prima de la niña habló por primera vez.

—¿Cuánto me dará?

—Depende de la información.

Ella se cruzó de brazos. Estaba seria, desconfiada. Los ojos brillaban, en parte por interés y en parte por recelo. Debió calcular que no era más que un hombre mayor, inofensivo. Aun así se lo preguntó.

—¿Es policía?

—¿Parezco un policía?

—Ha estado en la cárcel, como papá —dijo Lola.

Su prima no le hizo caso.

—¿Para qué le busca?

—Ya se lo he dicho a ella. Éramos amigos y quiero reencontrarle. Alguien me dijo que venía aquí a tirar piedras porque se entrenaba de nuevo. Antes de la guerra fue campeón de lanzamiento de peso.

—¿Quién le dijo eso de que venía aquí a tirar piedras?

—Una mujer llamada Pura.

—Sí, me habló de ella —se relajó.

—¿Lo hizo?

No contestó a su interrogante.

—Enséñeme el dinero.

Miquel rebuscó por los bolsillos de la chaqueta pero no

sacó la cartera, donde todavía conservaba un billete de veinticinco pesetas y dos de cinco. Podía quedarse sin nada y tener que moverse a pie o en autobús. La sola idea se le hizo angustiosa. Lo que le mostró a la joven fue la calderilla y un segundo billete de veinticinco pesetas, producto del cambio de diez duros de la comida del día anterior.

La muchacha alargó la mano para coger el billete.

Miquel la cerró.

—Si echas a correr, no podría alcanzarte —le dijo.

Sus ojos crepitaron. El dinero la atraía. Era su norte.

Pura necesidad.

—Y si usted me engaña, le advierto que tengo cinco hermanos. —Fue clara.

Le dio las veinticinco pesetas.

Seguía vaciando sus arcas a un ritmo demasiado rápido.

El dinero desapareció en el escote. Un lugar hermoso para guardar algo tan sucio. La imagen le evocó la de muchas películas, como si la vida imitara al arte continuamente.

—Yo estaba allí sentada. —La chica apuntó con el índice de su mano derecha una elevación del terreno, colgada sobre las barracas—. Se acercó a mí y nos pusimos a hablar. Era simpático. Le pregunté por qué tiraba piedras y me dijo que era un juego, pero que había sido deportista y campeón en eso, lo de tirar esa bola pesada lo más lejos posible. Llevaba un bocadillo y lo compartió conmigo. Entonces me dijo que yo era muy guapa.

—Lo eres.

—Me dijo que hacía mucho que no tocaba una piel como la mía. Yo le pregunté si estaba solo, si no tenía a nadie, y entonces me habló de esa tal Pura y de lo que hacía con ella, que si era mayor, y puta, y en cambio yo... Le dije que, si quería, podía tocarme el brazo. Lo hizo y vi cómo se acomodaba el pantalón, ahí —señaló la entrepierna de Miquel—. Comprendí que se había excitado y... bueno, no sé.

—¿Te dio pena?

—¡No! —Le miró estupefacta—. ¿Alguien va a sentir pena de mí si no puedo comer? —Con el ceño fruncido y enfadada pasaba de ángel a hermoso demonio—. Pero se había portado bien conmigo, compartiendo el bocadillo, así que le dije que si me daba dinero podíamos ir más abajo, entre los árboles, y dejaría que me tocara el cuerpo.

Miquel tragó saliva.

—¿Lo hizo?

—Me dijo que me daría más si me iba con él, que lo guardaba donde vivía.

—¿Y fuiste?

—Sí.

El vértigo le agitó. Intentó mantener la calma, no dar señales de su conmoción.

—¿Sabes la dirección?

—Me llevó a una vieja fábrica abandonada, cerca de la plaza de España. No está muy lejos de aquí.

—¿Qué fábrica?

—No lo sé, no vi el nombre ni se lo pregunté. Estaba entre la calle Cruz Cubierta y la carretera de la Bordeta, más o menos. Conozco la zona, por eso sé los nombres.

—¿Podrías acompañarme?

—¡No! —Se echó para atrás.

Lola parecía divertida. Reía. Que su prima se fuera con un hombre por dinero era algo absolutamente normal.

—Dame algún dato más.

—Tenía un muro de ladrillo rojo.

—¿Por dónde entrasteis?

—Por uno de los lados. El muro estaba medio caído por ahí. Se saltaba con facilidad, incluso él, con sólo un brazo. Nos metimos en un edificio de la derecha, unas viejas oficinas. Yo creo que estaba tal cual quedó en la guerra, porque parecía como bombardeado todo.

—¿Y él vivía en ese lugar?

—Tenía un viejo colchón y comida. Y desde luego dinero. No sé cuánto, pero...

—¿No te extrañó?

—¿Que viviera en ese lugar?

—Eso y que pudiera pagarte.

—¿Y si yo lo valgo? —Se llevó las manos a la cintura y le desafió con los ojos.

Puro fuego.

—¿Qué pasó luego? —Mantuvo la calma.

—Lo hicimos.

Lola estaba presente, pero era su prima la que lo contaba como si tal cosa. No tuvo más remedio que seguir, al margen de sus prejuicios.

—¿Dijo algo?

—Gritó mucho. —Esbozó una mueca socarrona—. Al terminar me miró y se puso a llorar.

—¿En serio?

—Sí. Como un niño —lo proclamó con orgullo.

—¿Por qué?

—Dijo que era su última mujer, su última vez, y me abrazó temblando, como poseído. Me asustó un poco, creí que se moría de tanto llorar y abrazarme. Mientras lo hacíamos también se llevó una mano al pecho un par de veces y en una gimió: «Ahora no, por favor, ahora no».

—Ese hombre estaba enfermo.

—Sí, ¿verdad? Yo le vi muy demacrado.

Enfermo, moribundo, pero incapaz de renunciar al sexo. Pura se lo había dicho: le gustaba.

—¿Seguro que no te comentó nada más?

—No. Me dio el dinero. Más de lo que hubiera imaginado. Me quedé muy impresionada por eso. Era... tan extraño. Dijo que ya no necesitaba mucho más y que si iba el miércoles, mañana, podía llevarme todo lo que había allí.

—¿Qué pensaste?

—Que estaba loco, ¿qué quería que pensara?

—¿Cuándo fue eso?

—El sábado pasado.

—¿No has vuelto?

—No, claro.

—¿Pensabas ir mañana?

No le respondió. Tal vez ni lo había imaginado en serio. Tal vez actuaba según su instinto, decidiendo las cosas sobre la marcha. De dejarse tocar el cuerpo entre unos árboles, a acostarse con un hombre, mediaba muy poco. El color del dinero y la oportunidad. Ni siquiera se sentía mal. Pura era una puta. Ella otra superviviente más.

—¿Eso es todo?

—Me acompañó hasta el muro, vigilamos que nadie nos viera, salí y me fui.

—¿Ve como le he ayudado? —habló Lola.

—Mucho. —Suspiró.

—¿Me da otro duro?

—No tengo más, cariño. —Sacó la calderilla—. Pero volveré por aquí dentro de unos días. Mi mujer tiene ropa de cuando sus hermanas eran niñas.

—No volverá. —Lola mantuvo su sonrisa.

Tan pequeña y ya no creía en nada.

—¿Cómo te llamas? —le preguntó a su prima.

—Carmelita.

—¿Tienes trabajo?

Tampoco hubo respuesta.

No iba a arreglar el mundo, y menos España.

—Habéis sido muy amables, las dos, gracias. —Inició la retirada.

—¿Va a ir a verle? —quiso saber Carmelita.

—Sí.

—No le diga que yo se lo he contado. —Su gesto fue de

sincera lástima—. No quiero que se enfade conmigo. Cuando me ofreció la mitad de ese bocadillo lo hizo a cambio de nada. Es la primera persona que me ha dado algo en la vida..

—No le hablaré de ti, descuida.

—Bien. Oiga...

—¿Sí?

—Usted también parece triste y cansado.

—Cansado lo estoy. Triste no.

—¿Quiere que vayamos a alguna parte?

La rabia se le mezcló con la ternura.

—No, pero gracias. Y siento que me lo digas.

—No soy una puta, pero hay que vivir, ¿no? Todos necesitamos algo.

—Es una filosofía de vida errónea.

—No le entiendo —reconoció.

Las miró a las dos.

Tanto poder...

Todo el país, la ciudad, su realidad, estaba allí, en ellas.

—Gracias —se despidió.

—Vaya con Dios —le dijo Lola.

Con Dios.

Dios recibía bajo palio a Franco.

Caminó de regreso a la avenida que iba del Estadio a Miramar. Pasó cerca del cuadrado impreso en la tierra. Cuando volvió la vista atrás, Lola y Carmelita ya no estaban a la vista.

Las barracas tampoco se veían desde allí.

Sabía que le costaría encontrar un taxi en Montjuïc.

28

La carretera de la Bordeta estaba relativamente cerca, pero para él era una caminata con la que no podía cargar en sus condiciones y tras la noche en comisaría. Si hubiera atravesado las barracas, montaña abajo, para enfilar la calle Margarit, con tomar luego el Paralelo a la izquierda llegaba hasta la plaza de España. Pero ni quería cruzar la zona de la miseria ni se atrevía con la pendiente. Lo mejor y más práctico era el taxi.

No supo si dirigirse hacia el Estadio o hacia Miramar.

Optó por lo segundo y acertó.

Cinco minutos después vio uno, levantó la mano y entró en él agradeciendo la posibilidad de sentarse de nuevo.

—¿Conoce una vieja fábrica rodeada por un muro rojo entre la Bordeta y Cruz Cubierta?

—No, no señor.

—De acuerdo, lléveme a la carretera de la Bordeta y ya preguntaré.

—¿A qué altura?

—No sé, el primer cruce saliendo de plaza de España.

El taxista ya no le habló más. Rodeó la montaña por la parte que daba a la ciudad y bajó por la avenida de la Reina María Cristina, dejando atrás las fuentes, hasta la plaza de España. Una vez superada ya giró por la Gran Vía y a los pocos metros se internó por la carretera de la Bordeta. El primer cruce era el de la calle de San Roque. Detuvo el coche en la esquina.

Miquel se despidió de él y se quedó en la acera.

El comercio más cercano era una lechería. Atravesó la puerta y un fuerte olor a vacas le golpeó la nariz. Una mujer atendía detrás de un mostrador, entre botellas llenas y vacías. Era redonda y mofletuda, con las mejillas muy sonrosadas. Le preguntó si por allí cerca había una vieja fábrica abandonada, rodeada por un muro de ladrillo rojo, y se la vio muy complacida de poder ayudarle.

—Tire todo recto, hasta Hostafrancs. Luego a la derecha. La verá enseguida un poco más arriba.

Le apetecía un vaso de leche, pero se abstuvo. A veces le sentaba mal. Algo de su hígado, que era «lento». Al menos eso le había dicho el médico. Porque desde que estaba con Patro se cuidaba. Si no lo hacía él, le obligaba ella.

Salió de la lechería recordando que no había desayunado nada, y que seguía pareciendo un desgraciado, sin afeitar y con el traje arrugado. El calor de la mañana ya se hacía sentir. Acabó quitándose la chaqueta y se la colgó del brazo, algo que nunca hacía, por un raro pudor o un viejo vestigio de elegancia.

La mujer de la lechería llevaba razón. Vio la fábrica a unos cincuenta metros, calle arriba, y cuando llegó hasta ella se encontró con el muro de ladrillo rojo como frontera infranqueable. No supo si caminar rodeándolo por la derecha o por la izquierda, y, cosas absurdas, como si formara parte de una militancia, lo rodeó por la izquierda.

En la siguiente esquina encontró el pequeño derribo.

Suficiente para colarse dentro, con cuidado.

Se lo tomó con calma. Tuvo que esperar al menos tres minutos. Cuando por fin la calle quedó vacía de transeúntes y nadie podía verle, a no ser que estuviera asomado a una de las ventanas de las casas frontales, atravesó el muro haciendo equilibrios para no caer.

Carmelita le había dicho que Maurici Sunyer vivía en las

oficinas, a la derecha del boquete. Volvió a ponerse la chaqueta para tener las manos libres por si acaso. El terreno era irregular, había agujeros, desperdicios, y tampoco sabía lo que se iba a encontrar. Si el ex atleta se sentía amenazado, igual le disparaba o le daba con una madera. La cautela tenía que ser máxima.

Era un hombre acosado, acorralado.

Un hombre que, posiblemente, siguiera empeñado en llevar a cabo su misión.

Todo dependía de sí podía o no.

Llegó al edificio y encontró una puerta ya sin marco. Se coló dentro. Se arrepintió de no haberle preguntado a la chica el emplazamiento exacto del lugar en el que dormía Sunyer. Podía estar allí mismo, en la planta baja, o en la superior. Cualquier roce o sonido extraño, allí, era como una señal de alarma.

Decidió no arriesgarse.

—¡Maurici! —Empleó su nombre de pila—. ¡No tema, soy un amigo! ¡Si me oye, salga, por favor!

Se quedó quieto, a la espera de la menor señal.

No se produjo.

—¡Maurici, soy amigo de Mateo Galvany!

Se arrepintió al momento de haber dado aquel nombre.

Mateo era el que supuestamente les había denunciado a la policía.

Volvió el silencio.

No tuvo más remedio que continuar.

Exploró la parte inferior sin éxito. Ni rastro de que allí se hubiera escondido una persona. Lo hizo aguzando al máximo el oído, por si percibía el menor roce proveniente de alguna parte. Cuando se convenció de que allí lo único que reinaba era el silencio y, quizá, las ratas en la noche, buscó la escalera y subió a la primera planta.

El lugar era aquél.

Vio un viejo colchón, tal vez arrastrado hasta allí o encontrado en alguna de las dependencias. Junto a él, restos de comida, un cubo con agua y poco más. Lo importante, o al menos lo curioso, estaba en la pared.

Postales de Barcelona.

Postales y recortes con fotografías del monumento a Colón.

Postales pegadas mostrando el lugar desde todos los ángulos posibles.

Contó veintisiete.

Vio algo más, a la izquierda de la pared, semioculto por las sombras.

Un maniquí.

Un maniquí al que le faltaba el brazo izquierdo.

Y por el suelo, a su alrededor, vendas y restos de tela, como si alguien hubiera cortado algo.

Tocó el maniquí, que le miraba sin ojos desde su perpetua inmovilidad, con el brazo derecho apenas levantado en una pose casi displicente. Tocó las vendas, nuevas, sin usar. Tocó la tela. Se dio cuenta de que estaba pegajosa. Buscó a su alrededor y encontró un pequeño tarro con restos secos de engrudo o algo capaz de pegar.

Carmelita no le había dicho nada de las postales o el maniquí.

¿No le dio importancia o, cuando ella estuvo allí, aquello no se encontraba en el lugar?

Regresó al colchón y lo tocó. No era muy grande. Suficiente para uno, pero no para dos. Maurici Sunyer se escondía solo. Ni rastro de Esteve Roura.

Quizá ya no era necesario.

Buscó un poco más. En una especie de armario encontró ropa, no mucha, sólo la necesaria para subsistir unos días. Contó unos pantalones sucios, llenos de tierra y polvo, tal vez los que usaba para ir a Montjuïc, dos camisas y un jersey, además de unos calzoncillos igualmente sucios, una camiseta y un par de calcetines. En el fondo de una caja vio dinero. Doscientas cuarenta y tres pesetas.

Había algo más.

Propaganda de cine, fotos de artistas famosos, prospectos, folletos, carteles de películas en tamaño postal, los clásicos regalos de las salas a sus clientes.

Roura y su afición por el cine.

Así que él había estado allí.

Miquel se quedó mirando aquellos papeles.

Fijamente.

Unas cuantas voces revolotearon por su cabeza.

Esperanza Sistachs: «La política y el cine son sus pasiones».

El señor Puigvert: «Se ha ido en plena campaña de verano».

Pepe: «Pasa todo el tiempo que puede en el cine».

Y finalmente la señora García: «Era una enciclopedia andante y muy romántico. Decía que la vida era igual que una película, pero sin Rita Hayworth. Más o menos se veía a sí mismo como el protagonista de su propia historia, como si el mundo fuese un gran teatro», «Solía ir casi siempre al mismo cine, aunque luego creo que lo cerraron por reformas. Pero no sólo iba por las películas. También salía con una de las taquilleras, no sé si por interés personal en ella o para que le dejara entrar gratis», «Me contó que a veces veía las películas en la misma sala de proyección, como un rey, y que luego se citaba con la mujer, la taquillera, en un cuartito contiguo».

Cine, cine, cine.

—¿Es posible, Roura? —le preguntó al aire—. ¿Tan simple como eso?

Iba a levantarse pero volvió a mirar el dinero. Sunyer ya no iba a regresar, eso seguro. Aquellas doscientas cuarenta y tres pesetas eran «la herencia» de Carmelita si es que la muchacha regresaba al día siguiente como le dijo él. Lo lamentó, pero se llevó cincuenta pesetas por si acaso se le agotaba lo que le quedaba.

Si volvía con la ropa de las hermanas de Patro para Lola, ya se las resarciría.

Todo estaba hecho.

Dirigió una última mirada a las postales.

Y comprendió que Mateo no sabía nada de esa última parte del plan.

Había un antes y un después de su detención.

Caminó hacia la escalera y la bajó peldaño a peldaño. Se imaginó a Maurici Sunyer vagando por Barcelona a la espera de su hora. Mejor eso que aguardar allí, arriesgándose inútilmente a ser descubierto si la policía le seguía los pasos. Por la calle, con su nuevo brazo postizo colgando de un pañuelo anudado a su cuello, era uno más, perdido entre la multitud que acudiría a la gran fiesta.

Salió del edificio y llegó hasta el muro. No salió sin más. Primero asomó la cabeza discretamente. No había nadie en la calle, pero en la esquina de abajo, a la derecha, vio una cabeza que se escondía de forma muy rápida, pillada a contrapié.

Sonrió.

Luego pasó por encima de los restos del muro y fue a su encuentro. Cuando dobló la esquina incluso la asustó.

—Hola, Carmelita.

La joven estuvo a punto de echar a correr.

—Tranquila. —Le mostró sus manos desnudas.

—No hacía nada malo. —Mostró un extraño sentimiento de culpabilidad con el miedo de los que siempre reciben por todo, defendiéndose aunque, realmente, no hubiera hecho nada malo.

—Lo sé.

—Me dijo que me llevara lo que quisiera el miércoles.

—Y has creído que yo...

—Sí.

—No me llevo nada —mintió pensando en aquel dinero—. Y creo que ya puedes ir a por ello ahora, si quieres.

—¿Y él?

—No volverá.

—¿Cómo lo sabe?

—Créeme, lo sé.

Seguía con los ojos caídos, el cuerpo doblado hacia delante, abrazada a sí misma. Lejos de su ambiente, y sola, era una niña asustada. Ni su belleza la protegía de eso. Llevaba unos zapatos espantosos, nada femeninos. Mientras él daba la vuelta en taxi y escudriñaba el escondite de Sunyer, ella había corrido lo suyo para llegar a pie hasta allí.

—Cuando estuviste con él, ¿viste unas postales pegadas a la pared?

—No.

—¿Y un maniquí?

—¿Eso qué es?

—Una figura humana. Lo que ponen en los escaparates con ropa encima.

—No recuerdo, pero diría que no.

Sintió una profunda piedad por ella. Era una muñeca viva, preciosa, de carne y hueso. Una muñeca que pronto romperían, de una forma u otra.

O lo hacía ella, por sí misma, o se casaba con uno que le haría un hijo tras otro.

Más miseria.

—¿Por qué no intentas salir de la montaña? —le dijo.

—¿Y qué hago?

—Trabajar. Eres demasiado joven y guapa para...

—No sé leer ni escribir, señor.

—No te rindas.

—Habla igual que un padre.

—Tuve un hijo, pero murió en la guerra.

—Mi padre también.

Miquel levantó una mano. La movió despacio. Carmelita se quedó quieta. Cuando llegó hasta su mejilla se la acarició.

Era muy suave.

—No te vendas barato.

Ella no le respondió.

La caricia terminó, la mano regresó a su lugar. Miquel dio media vuelta alejándose de su lado.

Esta vez no volvió la cabeza.

29

Habían pasado las dos horas de plazo dadas por Terencio Fernández. De hecho, el tiempo se había extinguido hacía cinco minutos. Buscó con urgencia un teléfono público y tuvo que llegar hasta Cruz Cubierta para dar con uno. Ocho minutos. Se abalanzó sobre el mostrador y pidió una ficha. También un café, lo que fuera. Una mujer le lanzó una mirada de desconfianza. El hombre del mostrador le puso la ficha sobre la madera. Cuando la insertó en la ranura, la manecilla del reloj sobrepasada ya en diez minutos la hora fijada.

Marcó el número sujetando el papel con la mano izquierda y esperó.

Le faltaban dos piezas para encajarlo todo.

Sólo dos.

Qué quería Mateo de Policarpo, aunque lo imaginaba, y saber dónde se escondía Roura, en caso de que aún no lo hubiesen detenido, antes de que desapareciera para siempre.

Sobre todo si Barcelona era un caos.

—Le dije dos horas —escuchó la voz átona de Terencio.

—Lo siento. No encontraba un teléfono.

—Cinco minutos más y no le espero.

—¿Qué quiere decir?

—Pásese por aquí, inspector.

—¿Ahora?

—Ahora.

—De acuerdo. —El olor a comida hizo que su estómago rugiera.

—¿Tardará mucho?

—Estoy cerca de la plaza de España. Lo que tarde el taxi.

—Pues dígale al taxista que pise a fondo o llegará tarde.

—Terencio...

—Es una deferencia, inspector. Sólo eso. Mi gratitud por haber venido a verme y por contarme lo que me ha contado. Creo que se lo debo.

No pudo decir nada más porque colgó el auricular.

Se bebió el café de dos sorbos. No era malo: era peor. Ni siquiera llegaba a ser achicoria. Encima le quemó la lengua. Pagó la consumición y la ficha y volvió a correr, abandonando el bar y la mirada recelosa de la mujer y el camarero.

«Dígale al taxista que pise a fondo o llegará tarde.»

No hacía falta ser muy listo para saber qué iba a encontrarse.

Tardó tres minutos más en localizar su enésimo taxi desde que la mañana anterior había ido con Pere al Hospital Clínico atendiendo a la llamada de María. El taxista le recibió con una sonrisa. Una vez dentro vio las dos banderitas españolas insertadas en el contador. Y no sólo eso. En el salpicadero destacaba una insignia con el yugo y las flechas.

—¿Adónde le llevo, jefe?

Le dio las señas, en Hospitalet, y el hombre arrancó despacio.

—Tengo prisa —le advirtió.

—Vaya, pues hoy no está el día para correr, que hay mucho guardia —le dijo con acento gallego—. Haré lo que pueda. ¿Una urgencia?

—Sí.

—Espero que no sea nada. Hoy no. —Volvió a mostrarse alegremente jovial—. ¿Irá por la tarde?

—¿Adónde?

—¿Adónde va a ser? ¡A recibir al Caudillo, por supuesto!

—Tengo que trabajar.

—¡Pero qué dice, si todas las empresas van a dar fiesta para que la gente vaya, aunque él llegue a última hora de la tarde! —Volvió la cabeza para mirarle—. Oiga, que si quiere puede denunciarles, ¿eh? ¡Hoy no se trabaja! ¡Hay que rendir honores al Generalísimo, y recibirle como se merece! ¡Todos!

—¿Usted cerrará el taxi?

—¡A las cinco de la tarde, como Dios manda! Que de todas formas tampoco habrá gente que llevar hasta que acabe el jolgorio, y menos se podrá circular por donde pase.

Congeló los ojos en las banderitas españolas, en el yugo y las flechas, en el cogote del taxista, un hombre joven, como de treinta años.

—A mí me gustaría ir al puerto, para verle bajar del barco —continuó sin perder su locuacidad—. Todo estará engalanado, banderitas, música, sirenas sonando por todas partes, la gente feliz...

Miquel tardó dos segundos en responder.

Lo hizo sin apenas voz.

—Sí, creo que yo iré a Colón —dijo.

—¿Qué?

—Nada, tenga cuidado.

—Tranquilo. Ni un accidente en cuatro años, y eso que al comienzo iba un poco perdido. Entre eso y la gente empeñada en hablar catalán... ¿Doblo por aquí?

—Por donde quiera.

—Yo le puse Francisco a mi hijo por él. ¿Qué le parece? ¡Y Francisco!, ¿eh? ¡Nada de Paco! Fran-cis-co, con todas las de la ley.

Cerró los ojos. Hubiera bajado para coger otro de no ser por la advertencia de Terencio. «Dígale al taxista que pise a fondo o llegará tarde.» No sólo era hablador. Era una plaga.

—Por favor, vaya un poco más rápido.

—Nada, tranquilo. —Le dio un poco más de gas.

Ni siquiera mucho.

—¿Le gusta el fútbol?

Miquel estuvo a punto de gritar. Si le decía que era inspector de taxis tampoco lo haría callar, podía estar seguro. A lo peor le venía con más cuentos.

—No, no me gusta.

—¿Y eso? —Volvió a mirarle con cara de no creérselo.

—Ya ve.

—¡Yo soy del Español, que para eso se llama así: Español! ¡No sé cómo esos catalanistas acaban ganando ligas!

Ya no pudo más.

—Señor.

—Diga, diga.

—¿Podría dejar de hablar el resto del camino? Me duele la cabeza.

El taxista abrió los ojos. Su cara expresó sorpresa. Daba la impresión de estar convencido de que su cháchara acompañaba el buen viaje de sus pasajeros.

—Sólo quería hacer más ameno el trayecto —se excusó.

—Pues mejor lo hace en casa.

—¡En casa no puedo hablar, que está la parienta y no me deja! —Soltó una carcajada antes de agregar—: Sí que tiene usted mala cara, sí.

Se encontró con sus ojos.

Ya no hubo más. Tampoco quedaba mucho trayecto. El taxista le dejó en la misma esquina que el primero. La muchedumbre había desaparecido de la calle, pero aún quedaban algunos grupos pequeños esparcidos aquí y allá. El mayor, frente al pasadizo de entrada al patio que comunicaba las tres casas de los hermanos Fernández. Le dio diez pesetas y esperó el cambio. No hubo propina. Tampoco se despidió.

Al hombre no le importó.

Si hablaba con cualquiera, sin cortarse, amparado en la

«libertad» de pensamiento único de la nueva España, dando por sentado que todos pensaban como él, como mucho creería que era un pasajero raro.

—¡Que tenga un buen día! ¡Viva España!

Lo vio alejarse con rabia.

Apretó los puños.

Ya no tuvo tiempo de pensar en su incomodidad.

Caminó lo más aprisa que pudo en dirección a las casas. Algunos ojos siguieron su estela y poco más. Atravesó el grupo más numeroso, el que se aglomeraba en la parte final, y ya no hizo nada, ni habló. En la misma entrada le esperaba un hombre, trajeado, serio. Todos acababan de regresar del entierro de Policarpo. Al verle, el hombre le hizo una seña y le precedió con paso rápido. Miquel ya jadeaba. Por mínima que fuese la distancia, se cansaba. En la puerta de la casa de Terencio, custodiándola, había otros dos sicarios no menos elegantes, traje oscuro, la franja negra en la bocamanga. Se apartaron para que los aparecidos entraran. Esta vez no se dirigieron a la pequeña habitación de dos horas antes, sino que atravesaron la vivienda y salieron por la parte de atrás, cruzando un jardincito. Su destino fue un cobertizo pegado a un terreno labrado y con algunos árboles. También en su puerta esperaban dos energúmenos más, fornidos, cuadrados, como extraídos de una película de James Cagney.

La puerta se abrió y entraron.

Al primero que vio fue a Terencio.

Después al hombre en mangas de camisa, cara de bestia y los puños como mazas.

Por último, al hombre de la cicatriz en la barbilla, o lo que quedaba de él, porque sangraba de arriba abajo, medio destrozado, sin apenas rostro, atado a una silla.

30

Miquel sintió cómo se le doblaban las piernas.

—Inspector —dijo lacónico Terencio Fernández.

El energúmeno se apartó. Parecía cansado. La sangre le había salpicado la camisa, así que más que blanca era una especie de superficie moteada con decenas de puntos rojos. Los puños goteaban la misma sangre que le caía al apaleado, sobre todo de la barbilla, manchando sus rodillas y el suelo. Iba descalzo. Nadaba ya sobre un enorme charco cárdeno que la escasa luz convertía en algo fantasmagórico.

—Éste es Poncio —dijo el que era ya el único jefe del clan de los Fernández—. Poncio Martínez Garrido. —Hizo una pausa, miró al herido y agregó—: Saluda al inspector, Poncio.

El hombre levantó la cabeza. Un ojo cerrado por completo, el otro a medias, la nariz rota y desviada hacia un lado, con parte del hueso asomando por una brecha, la boca hinchada, los labios convertidos en bulbos.

—Saluda, Poncio —insistió con tenebrosa calma Terencio.

—Bue... nas...

—Bien, buen chico. —Se cruzó de brazos y dejó transcurrir otros pocos segundos, sin prisas—. Ahora cuéntale al señor inspector lo que me has dicho a mí.

Miquel levantó una mano.

—No es necesario...

No pudo continuar. A Terencio Fernández le bastó con

volver la cabeza y mirarle fijamente. No eran amigos. Posiblemente ni siquiera aliados. En otro tiempo Miquel fue a por todos ellos, y sólo por ser más listos y estar mejor preparados se libraron. Habían pasado muchos años, pero ellos seguían siendo lo que siempre fueron y serían: delincuentes. Y él, pese a todo, estaba del otro lado, el de una legalidad que había cambiado pero seguía separando a los buenos de los malos, aunque eso también fuera un eufemismo.

El rostro del gángster era una máscara.

Después de todo, su hermano estaba muerto.

Y tenían sus malditos códigos.

—Adelante, Poncio. —Volvió a dirigirse al herido—. ¿O quieres que Antonio te ayude?

Poncio se agitó. Con su único ojo medio sano buscó a su torturador. Le localizó a un lado y se estremeció. A su alrededor todo olía mal. Probablemente se había orinado, quizá incluso defecado. La cabeza era una especie de articulación que se movía a saltos breves y espasmódicos, como si le costara mantenerla erguida. Abrió y cerró la boca un par de veces antes de poder hablar. Tuvo que tragar algo, y también escupir una mezcla de babas, sangre y algo parecido a un diente.

—El señor... Galvany vino... a ver al señor... Policarpo —empezó a decir.

—Si tardas tanto nos darán las uvas —le interrumpió con sequedad Terencio—. Aligera.

Casi era imposible que pudiera hablar bien y de corrido. Lo intentó.

—El señor Galvany... vino a ver al señor... Policarpo para pedirle... un favor. Quería algo de... de él y... y el señor le dijo que lo tendría en un par... de días, que le avisaría y que... sería un poco caro. Pero el... el señor Galvany le contestó que el di... dinero no importaba, que lo tenía. El señor Po... Policarpo sonrió y le dijo que si de... de pronto se había hecho rico y él respondió que no, que tenía un par de socios que... podían...

—Volvió a escupir sangre y su lengua hinchada rozó los labios como para ver si seguían allí.

—¿No te olvidas nada, Poncio?

El herido pareció fruncir el ceño. El resultado fue una mueca asustada y grotesca.

—¿Qué? —tembló.

—¿Qué quería el inspector Galvany de mi hermano?

Miquel tensó todos sus músculos sin darse cuenta.

La respuesta final.

—Dos... granadas de mano y... una pistola.

Miquel cerró los ojos.

Supo que Terencio Fernández se dirigía a él cuando escuchó:

—¿Bien?

Volvió a abrir los ojos.

—Sí. —Suspiró.

—Sigue. —Terencio apremió a su hombre.

—A los dos días el señor... P-p-policarpo me mandó a casa del señor Galvany. No estaba y le... le dejé a su hija el recado de... de que viniera a verle. El... señor Galvany lo hizo... esa misma... tarde. Pagó y se llevó t-t-todo lo pedido.

—¿A qué hora se marchó? —preguntó por primera vez Miquel.

—A... las seis o las siete.

Mateo había llegado a su casa muy tarde en la noche. Eso sólo podía significar una cosa: que llevó directamente la mercancía a Roura o a Sunyer.

O a los dos.

Su trabajo era ése: conseguir las granadas y el arma.

Terencio esperaba por si tenía más preguntas.

Una más.

—¿Le preguntó el señor Policarpo para qué quería esas dos granadas de mano?

—No. En... los negocios no hay... preguntas.

—Pero tú te diste cuenta de que eso era un caramelo, ¿verdad? —resonó la voz de Terencio con todo su poso de odio.

—¿Un... caramelo? —vaciló Poncio.

—Algo bueno para ti. —El gángster se puso casi delante de su hombre—. Una pistola... bien, pero dos granadas de mano... —Hizo tres ruidos con la lengua—. Ahí había algo gordo, ¿no es cierto?

No hubo respuesta.

—¡Contesta! —le gritó Antonio.

—Sí —se apresuró a hacerlo.

—Nada menos que dos bombas —suspiró su jefe.

Miquel contó hasta diez. El silencio se hizo amargo. La respiración del herido sonaba igual que un viento atravesando un desfiladero lleno de aristadas rocas.

—Dile al inspector Mascarell desde cuándo eres confidente de la policía.

La cabeza se Poncio se desplomó sobre el pecho.

—¡Díselo!

Más que un grito, esta vez fue un trueno. La calma se trastocó en ira. Le habría golpeado él mismo de no ser porque Poncio ya no era más que una masa con apariencia humana recubierta de sangre. Terencio se contenía minuto a minuto para no acabar con todo aquello.

—Dos... años —exhaló Poncio.

—Dos años —repitió Terencio—. Justo los dos años en los que las cosas han empezado a ir mal, como si nos tuvieran controlados, ya ves.

Le hizo una seña a Antonio.

El gorila llegó hasta Poncio. Su puño derecho fue rápido. Le cruzó la cara con un golpe seco y mientras se escuchaba el crujido del pómulo una lluvia de sangre se esparció por el otro lado.

Miquel apretó las mandíbulas.

Nada más.

Sabía que no era su terreno, que no era nadie, que allí sólo era un invitado.

Cortesía y deferencia de Terencio Fernández.

—Mi hermano confiaba en ti, maldita sea. —La voz retornó a la cadencia, la falsa serenidad—. Dos años. Dos. ¿Por qué?

Poncio lloraba. Las lágrimas debían de escocerle mucho. Tanto como el miedo.

—Me... cogieron y... Iban a fusilarme... por cosas de la guerra —gimió desolado—. Dijeron que... que si colaboraba con ellos...

—Vendiste a Poli.

—¡No! —volvió a gemir—. Ése... fue el trato... Me dijeron que no sería nada p-p-peligroso, sólo de vez en cuando... una visita, para contarles cosas, cómo... cómo iba todo, y si me llamaban ellos... lo mismo. Querían tener c-c-controlado al señor Policarpo. Ése... ése fue el trato, sí.

—¿Por qué no le detuvieron y punto? —preguntó Miquel.

—D-d-decían que les... servía mejor así, c-c-controlado. Que más valía p-p-perro conocido que nuevo gallo... en el corral, y que la información siempre podía... serles útil. Una esp-p-pecie de as en la... manga.

—Lo de las dos granadas de mano fue un regalo para ellos, ¿no? —Retomó la iniciativa Terencio—. Seguro que despertó toda su curiosidad.

—Eso... pensé. Si hubiera imaginado que...

Las lágrimas le ahogaron.

Terencio detuvo el gesto de Antonio. Miró a Miquel y los dos permanecieron así unos segundos. Luego se acercó al herido y se agachó delante de él, para que pudiera verle la cara.

—Fuiste a la policía con el cuento de las dos granadas y la pistola —dijo—. La policía detuvo al inspector Galvany, el inspector cantó para salvar a su hija y dio los nombres de sus socios. Detuvieron a dos de los cuatro implicados en la trama y para encontrar a los evadidos soltaron al inspector y le pusieron una sombra. Uno de los dos escapados, o tal vez alguien más, ató cabos. Primero atropellaron al delator. Después... a la única persona que conocía lo de las granadas, la fuente de donde habían salido y, por lo tanto, de donde debía de proceder el soplo: mi hermano, el proveedor. Venganza completa.

—Te... ren... cio... —balbuceó Poncio.

—La misma pistola que vendió sirvió para matarle, ¿te das cuenta?

Poncio movió la cabeza de lado a lado un par de veces.

—Es como si le hubieras disparado tú mismo.

—¡No!

No lo hizo con las manos. Se incorporó y le lanzó una patada con la planta del pie. La silla cayó hacia atrás y quedó boca arriba, con Poncio pataleando y gimiendo ya al límite de la cordura.

—¡No llores, cabrón! —tronó la voz de Terencio.

Ya no mantenía el control. Jadeaba. Sus ojos estaban rojos. Cerró los puños y Miquel temió que fuese a dar la orden final. No quería verlo pero seguía allí, sin poder moverse.

Terencio se volvió de nuevo hacia él.

—¿Sabe para qué quería el viejo esas dos granadas?

Podía volver a mentir, pero ya daba lo mismo.

—Ahora sí. —Fue sincero.

No hizo la pregunta que esperaba. Era lo de menos. Comprendió que a Terencio le importaba poco el para qué. Acababa de enterrar a su hermano. Tenía al responsable, pero faltaba el asesino material.

—Al inspector y a mi hermano los mató la misma persona, ¿está de acuerdo?

—Sí.

—Sólo pudo ser uno de los dos que se escaparon, si es que no hay nadie más metido en esto.

—Así es.

—Me habló de uno que trabajaba en Capitanía General, un médico... Pero no recuerdo los nombres.

—Terencio, escucha...

—¿Quién fue, inspector?

—No lo sé.

—Sí lo sabe, no me cabree —le amenazó—. Deme ese nombre.

—Te lo daré mañana.

—Antonio.

El energúmeno dio un paso hacia él.

—Mañana, Terencio. —Miquel no se movió.

—¿Por qué?

—Deja que pase esta tarde.

—¿Qué ocurrirá esta tarde?

—Mira, el que mató a tu hermano y a mi ex jefe escapó. No sé dónde está. Le estoy buscando, para confirmarlo. Es lo que le prometí a la hija de Mateo Galvany. Ni siquiera puedo detenerle o avisar a la policía sin parecer implicado. Ese hombre estará en cualquier parte, escondiéndose de la policía. Confía en mí. Para ti es sólo un nombre. No sabrías dónde buscar.

—Usted no sabe de lo que soy capaz.

—Esto es distinto.

—¿Y si mañana es tarde?

—Probablemente lo será, y habrá huido, pero...

—Yo he colaborado con usted, inspector. —Señaló a Poncio, inmóvil boca arriba atado a la silla.

—Lo sé.

—¿Quiere matarlo usted, es eso?

Tuvo deseos de sonreír.

La última persona a la que había matado, disparándole un tiro en la frente, el 26 de enero de 1939, fue a un asesino de niñas.

Pero ni aquello fue una venganza. Fue un ajusticiamiento.

—¿Le busca sólo porque se lo pidió la hija del jefe?

—Le busco porque fui policía, y siempre acabo lo que empiezo.

—Si le encuentra no podrá detenerle, acaba de decirlo. No es nadie. Ni siquiera va armado. Está loco. Puede que sea él quien le mate a usted.

Bajó la cabeza.

Quizá Antonio no le diera muy fuerte.

Otra vez se hizo el silencio.

—Es un hombre extraño —dijo Terencio.

—¿Sabes lo que es una contradicción?

—Dígamelo usted.

—Una contradicción es desear algo por un lado y no desearlo por el otro. Y saber que, si lo consigues, puede ser peor.

—Yo sólo sé que dos más dos son cuatro. La vida es simple. ¿Quién la complica? Nosotros. —Mesuró su ramalazo filosófico—. Mataron a Poli y alguien ha de pagar por ello.

Miquel miró a Poncio.

—He dicho alguien, no una simple rata. El que mató a mi hermano, encima, pensó que él era un traidor, un soplón. Policarpo Fernández —lo pronunció con pomposo respeto—. Y eso no, inspector. Eso no.

—¿Qué vas a hacer con él? —Volvió a mirar a Poncio.

—Las películas americanas son muy instructivas. Siempre gana la policía, porque no son reales. Pero siguen siendo instructivas. Con unos buenos zapatos de cemento no hay cuerpo que salga a flote.

Poncio seguía vivo, y atento.

Se echó a llorar una vez más.

Bastó una patada de Antonio para que se callara.

—Usted ya no es policía, Mascarell. Bienvenido al mundo real.

—¿Es el mundo real esta España?

—Es lo que hay. Y vivimos por algo. —Inesperadamente le tendió la mano derecha—. ¿Vendrá mañana?

—Sí. —Se la estrechó él.

—¿Sabe que, si no lo hace, le hará compañía a Poncio?

—Lo imagino.

—¿Me contará la historia?

—Tal vez, no sé. Depende.

—Es un tocahuevos —se lo dijo muy serio—. ¿Depende de qué?

—Del destino.

—La madre que lo parió... —Esbozó una tenue sonrisa pese a todo—. En el fondo nunca dejará de ser un poli, tiene razón. Ustedes sólo preguntan, pero dar respuestas...

—Si no hubiera sido por mí, no habrías dado con la verdad de lo sucedido con Policarpo.

La última mirada fue sosegada.

—Ya conoce el camino. Uno de los que están fuera le acompañará hasta la calle. Yo tengo que hacer aquí.

Matar a Poncio.

Matar a un hombre.

Miquel caminó hasta la puerta. La abrió. No quiso volver la cabeza. Lo último que oyó de Poncio fue un lastimero:

—Perdón...

Luego otro golpe, un gemido y nada más.

31

Se dominó hasta llegar a la calle, pero una vez en ella ya no pudo más. Se apoyó en un arbolito escuálido y vomitó.

Salvo el espantoso pseudocafé de un rato antes, lo único que tenía en el estómago era la cena de la noche anterior, así que la echó entre estertores, entera, hasta la última gota. Luego se vació aún más, como si se limpiara por dentro en busca de su primera papilla. Acabó vomitando únicamente bilis.

La gente se había apartado de él.

Nadie se acercó para ayudarle.

Dejó transcurrir un par de minutos antes de incorporarse. Le dolía todavía más el cuerpo, la espalda, el estómago, el pecho, la cabeza. Últimamente, incluso, vomitaba demasiado. Por la razón que fuera lo había hecho en el 47 y el 48, en sus dos «casos» más recientes. Se estaba volviendo muy sensible. Sacó un pañuelo del bolsillo y se lo pasó por la boca. El mal sabor le hizo escupir un par de veces.

Entonces sí, cuando todo hubo pasado, apareció una mujer.

—¿Se encuentra bien?

—Sí, gracias.

—Si quiere sentarse un poco... Vivo ahí enfrente.

Era mayor, como de setenta o más años. Vestía de negro y llevaba una mantelina por encima de los hombros a pesar del calor.

—No es necesario, pero se lo agradezco.

—Como quiera. —Le sonrió con dulzura.

Miquel caminó calle abajo, alejándose despacio de las casas del clan.

Con o sin placa, seguía siendo policía, sí, ésa era la maldita realidad. Un policía que ahora, de pronto, era testigo de cómo se torturaba y asesinaba a un desgraciado. Un policía cómplice de un veterano delincuente al que nunca pudo detener. Un policía que acababa de cerrar el caso más increíble de toda su vida, encajando la última pieza del rompecabezas. Un policía que buscaba a un asesino no para detenerle, sino tan sólo para confirmar la verdad y poder contársela, entera o en parte, a María Galvany. Un policía que estaba a punto de ver cómo España podía volver a saltar por los aires.

Porque lo más evidente era eso.

El plan seguía.

Con Roura escondido y Sunyer suelto.

Sunyer.

Recordó una frase de Mateo Galvany: «Ética sólo rima con estética».

Agua y aceite.

Si alguien hubiera matado a Hitler en el año 30, o incluso en el 39, antes de invadir Polonia el 1 de septiembre, habría sido un crimen, un magnicidio. Con ello se habrían evitado los millones de muertos de la Segunda Guerra Mundial. En cambio, de haberle matado en plena guerra, habría sido un ajusticiamiento. Ética y estética. La ética era la base y la estética únicamente el vestido, la forma, el condicionante.

Todo tenía un pro y un contra.

A veces pensaba que Franco moriría en la cama, y se le revolvía el estómago.

Caminó un poco más, hasta sentirse libre y a salvo de las proximidades del clan que dominaba el barrio. Estaba algo mareado, tenía hambre, pero, como siempre, podía más el ansia de seguir que la realidad imperante de mantenerse en forma y en pie. Siempre había sido así.

Quimeta lo entendía.

Patro no tanto, aunque con ella sólo había tenido el lío de octubre del año anterior.

—Menos mal que estás fuera, cariño. —Suspiró.

Menudos dos días.

Buscó un taxi y no lo encontró. Había escaso tráfico en la zona. Tardó más de cinco minutos en dar con uno. Lo paró, se coló dentro y le dio las señas de la casa de Esteve Roura.

—¿Por dónde quiere ir?

—Se lo dejo a usted. Por donde sea más rápido.

Ya no volvieron a hablar. Al contrario del último, su nuevo conductor era más bien huraño. A lo largo del trayecto soltó un par de imprecaciones por cuestiones del tráfico y poco más. En una protestó porque un burro que tiraba de un carro, delante del taxi, empezó a defecar como si fuera una máquina de fabricar mierda. El dueño del burro se tomó todo el tiempo del mundo para recoger las boñigas en un saco. La segunda, ya cerca de la plaza de Lesseps, fue porque un guardia urbano, en lo alto de su tenderete y porra en mano, se tomó más tiempo del necesario en dejarle pasar, dando preferencia a los de la calle perpendicular.

Cuando le dejó frente a la casa, le dio el dinero. Sobraban veinte céntimos y no se los recogió.

Tampoco le dio las gracias.

En veinticuatro horas nada había cambiado, salvo que una mujer tan gris como su vestido cuidaba la vieja portería. Cruzó el umbral, la saludó inclinando la cabeza y subió sin hacer ruido. Ella no le preguntó nada. Sintió la tentación de mirar en el piso de Roura, pero se detuvo en el inferior, su destino, y llamó al picaporte.

Cuando repitió el gesto la segunda vez, comprendió que la amable vecina, la señora García, no se encontraba en casa.

Hizo un gesto de fastidio y chasqueó la lengua.

Miró la hora.

Muy tarde ya, demasiado.

Regresó al vestíbulo. La portera estaba tal cual, sin hacer nada, la mirada perdida en alguna parte de sí misma. De cerca le apreció una pequeña joroba que la encogía aún más. Tuvo que detenerse delante de ella para que reparara en su presencia.

—Buenas tardes, perdone.

La mujer levantó la cabeza.

—La señora García no está en casa.

—No, no está —se lo confirmó por si quedaba alguna duda.

—¿Sabe dónde podría encontrarla? Es muy urgente.

—Bueno, suele regresar más o menos dentro de media hora.

—¿Siempre?

—Más o menos —insistió—. Sí.

—Gracias.

Salió a la calle.

El estómago volvió a crujirle.

Media hora era tiempo suficiente para comer algo. Buscó un restaurante o un bar y, al no encontrar nada, caminó hasta la plaza de Lesseps. Un poco más abajo de ella, ya en Gracia, descubrió un restaurante discreto. Poco a poco, la vida volvía a Barcelona. Las cartillas de racionamiento por un lado, el estraperlo por el otro, y finalmente los que sí podían pagarse lo que fuese en un bar o un restaurante, desde una bebida hasta un bocadillo. Una camarera le dijo que tenía carne, de caballo, pero carne. Algo era algo así que aceptó con gusto. Y de primero, una sopa, clara, pero sopa al fin y al cabo. Le dijo que tenía prisa, que entraba a trabajar en media hora, y la joven le miró preguntándose cómo era que aún trabajaba alguien como él, que debería estar más que jubilado.

Eso le picó.

La edad era una cosa y la mente otra.

Aunque desde luego, después de un día y medio yendo de aquí para allá, con noche en comisaría incluida, estaba en las últimas y se notaba.

Bueno, quedaba un paso más y luego...

Si acertaba, bien. Si no, también. Después... a casa.

No, a casa no.

Levantó la cabeza sintiendo aquel frío que se le metió en los huesos pese al calor primaveral.

En el 39 había sido testigo de la historia, de cómo los fascistas de Franco entraban por la Diagonal irrumpiendo en la ciudad conquistada y agotada, rendida por el hambre, el frío y las bombas tanto como por las armas. Ahora tenía otra cita con la historia.

En Colón.

El frío le subió a la cabeza y entonces apareció Patro.

¿Otra guerra?

Cerró los ojos.

Ya había perdido una, y a Quimeta con ella.

Pero era y sería siempre un republicano, un hombre libre, un ser humano fiel a sus principios.

—La sopa, señor.

Se concentró en la comida. Una de las suertes de la edad es que se asimila mejor todo. Se ve en perspectiva. Se racionaliza más. Lo único que sabía era que existía una conspiración. Y lo sabía más por instinto y por sumar dos y dos que por tener todas las pruebas, aunque para sí mismo fueran concluyentes. De los cinco hombres, dos estaban muertos y uno preso. No sabía si la policía había dado con los otros dos. Su corazón le decía que no. Y siendo así...

La sopa era clara, pero estaba buena.

La carne de caballo, dura.

Pagó y regresó más arriba de la plaza de Lesseps. Al pasar

por delante de un quiosco vio la portada de *La Vanguardia*. Una foto del dictador a toda página, un busto impecable de mirada distante y media sonrisa. El titular era explícito: «Franco, primer combatiente contra el comunismo». Más abajo, a la izquierda, en un pequeño recuadro, podía leerse un fragmento del discurso dado en la apertura de las Cortes del Reino apenas unos días antes, el 18 de mayo: «Conforme el tiempo transcurre y la situación de Europa se hace más difícil, destaca la trascendencia de nuestra victoria sobre el comunismo. Hay que considerar lo que sería hoy de todo Occidente si hubiéramos perdido nuestra batalla».

Siempre el comunismo, la excusa.

Nunca la República elegida democráticamente por el pueblo.

La ligera pendiente le hizo jadear un poco y, al llegar por segunda vez a la casa de Roura y la señora García, tuvo que tomarse un minuto para recuperar el aliento. La portería volvía a estar vacía, así que subió al piso de la mujer y llamó al picaporte.

El mismo resultado.

Nada.

¿Y si también había ido a recibir a Franco, adelantándose, para coger un buen sitio?

Bajó la escalera despacio, perdido, agotada su última posibilidad, y al llegar al vestíbulo se la encontró de cara.

—¿Usted? —Se sorprendió al verle.

—Perdone que vuelva a molestarla.

—No he vuelto a ver al señor Roura.

—Lo imagino, pero no es de eso de lo que quiero hablarle. Sólo es una pregunta.

No hizo ademán de invitarle a subir a su piso. Esperó. La sensación de que era una mujer atractiva y de buen ver la confirmó ahora que la veía sin rulos y sin bata. Maquillada, su edad se acercaba más a los cuarenta que a los cuarenta y cinco.

En su sencillez residía el buen gusto. Zapatos, vestido, bolso, labios suavemente rojos, ojos profundos.

—¿Qué pregunta?

—Me dijo que Esteve Roura iba mucho a un cine, y que incluso había intimado con la taquillera para entrar gratis y luego verse con ella en una habitación, al lado de la sala de proyección. Un cine que estaba cerrado por reformas.

—Sí.

—¿Cuál era ese cine, señora?

32

El local parecía abandonado, como si las reformas se prolongaran más de la cuenta o, simplemente, fueran una excusa para cerrarlo. La entrada estaba tapiada, la marquesina, sin carteles de películas, convertida en una ruina. No era más que un cine de barrio, perdido, quizá olvidado, y lo bastante cerca de la casa de Roura como para que fuese su ideal. Películas y taquillera. No era listo ni nada. Como ser un goloso y hacerse novio de la dependienta de una pastelería.

Un loco capaz de urdir un plan loco, porque casi podía apostar lo que fuera a que el plan era suyo.

La cara de Franco, el yugo y las flechas y algún que otro «¡Arriba España!» silueteaban aquellas paredes selladas y repletas de carteles propagandísticos. Los signos del tiempo. Si alguien se dedicara a fotografiar paredes, con los años podría escribirse la historia de una ciudad. Sólo con ellas, como si hablasen.

Se lo quedó mirando con cierta aprensión antes de pasar a la acción.

Buscó algún hueco en la fachada y pronto desistió de encontrarlo. Habría sido demasiado fácil. Una invitación a que los niños lo tomaran como campo de juegos.

Precisamente cerca vio a un grupo jugando a las canicas sobre la tierra, porque las aceras no estaban asfaltadas.

Se acercó a ellos.

Miró sus bolas, de barro, de piedra y de cristal.

La pasión con la que jugaban.

—¿Lleva mucho cerrado el cine? —preguntó al azar.

Uno de los niños levantó la cabeza. Los otros estaban enzarzados en su jugada. El que tiraba apuntaba bien. Los otros vigilaban que no avanzara la mano más de la cuenta.

—Varios meses, sí —dijo el pequeño.

—¿Habéis visto a alguien estos días merodeándolo?

El tirador acertó de lleno en la bola del contrario. Hubo gritos, unos de apoyo y otros de rabia. Su informante dejó de mirarle para concentrarse en el juego.

Miquel esperó.

—No. —Se dirigió a él de nuevo el chico—. ¿Por qué?

—Busco a un amigo mío. Más o menos de mi estatura, delgado, nariz prominente, labios alargados, casi de oreja a oreja, cejas espesas, dientes mal puestos...

—¡Ése es Drácula! —rió otro de los niños.

Les estaba molestando. Ninguno reaccionó ante su descripción. Optó por darles la espalda y regresar al cine. Por detrás, la partida continuaba con toda su emoción.

El cine tenía una fachada, un lateral y una parte de atrás. El lado derecho estaba pegado a una casa no mucho más alta que su tejado en forma de pico. Caminó por el lateral izquierdo paso a paso, buscando cualquier detalle sospechoso, desde una huella en el polvo de la acera hasta un ladrillo mal puesto en la pared. Las ventanas estaban muy altas, a unos dos metros y medio de altura, y tenían barrotes. Cuando llegó al final dobló a la derecha y estudió la parte trasera con el mismo resultado, aunque por allí había una salida de emergencia tan sellada como la puerta principal en la fachada. La tanteó, la empujó, y se dio por vencido.

Si él no podía entrar, Roura tampoco.

¿La pista falsa con la que se encontraba siempre, en todos los casos?

Regresó a la fachada.

No quiso rendirse.

—Compruébalo todo, míralo por ti mismo, no des nunca nada por sentado —le había dicho Mateo Galvany al comienzo.

La casa pegada al cine por la derecha era vieja y discreta. Su fachada no tenía balcones, sólo ventanas. Las del lateral eran visibles únicamente en la última planta, la quinta, la que daba sobre el tejado del cine.

Bastaba con saltar desde una de ellas.

Caminó hacia la casa. De momento era ideal: no había portería, no había testigos. Subió despacio, a pie, hasta el quinto piso, porque las modernidades tipo ascensor quedaban lejos de las viviendas humildes. Al llegar a su destino se orientó. Cuatro puertas. Dos de ellas, las de la izquierda, eran las que daban sobre el tejado del local.

Dos puertas, dos posibilidades.

No supo qué hacer, si llamar a una de ellas, al albur, o preguntar primero a otros vecinos quién vivía en esos pisos.

Aplicó el oído a la puerta señalizada con el número 1 y no escuchó nada al otro lado. Hizo lo mismo con la puerta marcada con el número 2 y el resultado fue el mismo.

O vivía gente silenciosa o...

Al subir, entre la cuarta y la quinta planta, vio una ventana que daba al exterior.

Bajó a su encuentro y se le aceleró el corazón al ver que tenía roto el pestillo.

La abrió.

La pared del tejado del cine quedaba a más o menos un metro y pico de donde se encontraba. Y siguiendo por ella, sin siquiera pisar las tejas que coronaban el local, se llegaba hasta una caseta con una puerta de madera.

—Vamos allá. —Aceptó el reto.

Sentarse en el alféizar de la ventana fue sencillo. Pasar una pierna al otro lado también. Pasar la otra lo mismo. Lo complicado venía a partir de aquí. Un metro y pico era un metro y pico. Si se deslizaba, se rompería el traje o lo acabaría de arruinar. Si saltaba...

A sus sesenta y cinco años.

—Te vas a romper la crisma.

Lo máximo que podía suceder es que se cayera hacia delante, en un mal equilibrio, y chocara contra las tejas. Si eran fuertes y resistentes, ningún problema. Sólo sería un golpe. Pero si cedían y se abría el techo...

No se lo pensó más. Cualquiera que le viese desde la calle llamaría a la policía.

Saltó.

Vaciló, hacia delante, hacia atrás... Logró sujetarse con las manos apoyadas en la pared y eso le permitió mantener el equilibrio. Una vez logrado pensó en el regreso, en cómo demonios treparía aquella altura.

Entonces vio los dos huecos, a media pared. Desde arriba no se había dado cuenta de su existencia. Alguien inteligente los había hecho para poder apoyar el pie.

Sencillo.

Confirmar sus sospechas hizo que acentuara aún más sus precauciones. Se agachó, para ofrecer el menor volumen posible a los ojos de quien pudiera verle desde algún edificio próximo, y caminó por la parte superior del muro, con la mano apoyada en la pared de la casa, hasta la caseta con la puerta de madera. Lo mismo que la ventana por la que acababa de saltar, no tenía cierre. No tuvo más que empujarla. Al otro lado vio unas escaleras medio rotas, de cerámica barata. Puso un pie en el primer peldaño y sintió el crujido bajo la suela del zapato.

Las escaleritas daban a un pasillo con dos puertas a la derecha y ninguna a la izquierda. Al final del pasillo, otra escalera conducía a la parte de abajo. Un ventanuco cenital apenas desparramaba un poco de claridad a su alrededor. Se movió muy despacio, tanto por la falta de luz como por las precauciones impuestas. Unos años atrás habría empuñado su pistola, por si acaso. Ahora no tenía nada.

Ni una cobertura legal para hacer lo que hacía, jugando a los policías.

Abrió la primera puerta.

Era la de la sala de proyecciones. También ésta tenía una claraboya en el techo, con un portalón que permitía su cierre desde abajo. La vieja máquina seguía allí, y también los rollos de una película medio quemada. De hecho era el fuego lo que había determinado el cierre del cine, porque se veían restos de él por todas partes: paredes negras, maderas comidas y hollín tiznándolo todo. Se asomó por el hueco de la pared que daba a la sala y abajo, vagamente, intuyó la platea y la pantalla blanca al fondo. Lo más seguro era que el fuego se hubiese desatado allí mismo, en la sala de proyección, y que hubiera sido atajado antes de que llegase a las butacas. Pero con la máquina dañada...

Regresó al pasillo y caminó hasta la segunda puerta.

Metió la cabeza por ella.

Otra claraboya arriba, y en el suelo un colchón medio roto, restos de comida, agua, revistas de cine, colillas aplastadas, olor a tabaco y sudor...

Casi lo mismo que en la vieja fábrica donde se escondía Sunyer.

Acabó de abrir la puerta.

Esteve Roura vivía allí, o había vivido.

Si era esto último, ya no le pillaría nunca.

A fin de cuentas, la suerte estaba echada. El manco lanzador de peso era el punto final de todo. El resto...

—Has ido ya a ver el espectáculo, ¿verdad? Temprano, aun a riesgo de que te cojan, porque Sunyer irá con un brazo postizo en cabestrillo, pero tú...

Se relajó.

Por completo.

Y ésa fue su perdición.

El rumor a su espalda fue quedo, pero pudo escucharlo en medio de aquel silencio. Su reacción, en cambio, resultó tardía.

Una fracción de segundo antes de que el golpe impactara en su cabeza, reflejo claro de lo que iba a pasar, pensó que sólo le faltaría eso para acabar de convertirle en un guiñapo inservible.

Luego se hizo la oscuridad.

33

O soñaba con Quimeta o soñaba con Patro. Nunca con las dos a la vez. Por eso cuando las vio a su lado supo que no era un sueño, sino una pesadilla, y que tenía que despertar de ella cuanto antes.

—No aprenderás nunca —le decía Quimeta.

—No te puedo dejar solo. Me voy unos días y ya ves —le reprochaba Patro.

—Siempre ha sido igual —insistía Quimeta—. Si yo te contara, hija...

—Qué va a decirme a mí —asentía Patro.

Las dos confabuladas. Lo que faltaba.

Les dio la espalda. Bastante tenía con lo suyo.

Con la realidad, porque ellas no eran más que un eco lejano perdido en su mente.

Siguieron hablando tan animadas mientras se alejaban de su consciencia.

Primero entornó los ojos, con todas las señales de alarma esparcidas por su cuerpo. Lo que vio fue deprimente. La misma habitación, el mismo colchón, los mismos restos de comida y la misma colección de colillas aplastadas. Olía a tigre, es decir, sudor mezclado con tabaco.

Intentó moverse y no pudo.

La imagen de Poncio le vino a la cabeza con una intensidad brutal. También estaba sentado en una silla. También es-

taba atado. La diferencia era que a Poncio le habían machacado a golpes y a él no.

Todo un detalle.

Quizá no habría llegado a perder el conocimiento. Tenía
la vaga sensación de haber sido cacheado y registrado, y luego arrastrado y levantado para sentarlo en la silla. O eso o su
subconsciente le jugaba malas pasadas.

Algo se movió a su espalda.

Y él entró en su campo visual.

Metro setenta, más o menos, delgado, nariz prominente,
labios alargados, casi de oreja a oreja, cejas espesas, dientes
mal puestos...

Esteve Roura.

Se sentó delante de él, en otra silla sacada de Dios sabía
dónde, y le observó con atención.

Tardó en hablar.

—¿Quién es usted?

Superó las punzadas de su cabeza y carraspeó para aclarar-
se la voz. No quería dar sensación de miedo ni que él pensara
que lo tenía gratuitamente.

—¿Quiere desatarme, por favor?

—¿Quién-es-usted? —Marcó las tres palabras con precisión revistiendo su voz de amenazas.

—Miquel Mascarell.

—He dicho quién.

—Un amigo de Mateo Galvany.

Le impactó escucharlo. Por eso se tomó su tiempo para
procesar la información y adecuarla al giro de los aconteci-
mientos.

—Nunca me habló de usted —expuso con calma.

—Fue mi superior en el cuerpo antes de la guerra. Yo era
inspector. Me reencontré con él en octubre pasado, pero no
había vuelto a verle desde entonces. Su hija María me mandó
llamar para el entierro.

—¿Qué hace aquí?

—No lo sé. —Suspiró.

—¿Me toma por idiota?

—Llevo dos días buscando al hombre que le mató, porque se lo prometí a su hija, y ahora comprendo que no sé por qué lo he hecho.

Se lo soltó como si nada.

—Yo maté a Mateo.

—Lo sé. Y a Policarpo Fernández también.

Esteve Roura levantó ambas cejas sin ocultar su sorpresa.

—Amigo —rezongó—, no sé si está loco o es imbécil, si va de héroe o... ¿Qué edad tiene?

—Sesenta y cinco.

—¿No es un poco mayorcito para jugar a detectives?

—Qué quiere que le diga.

Su captor sonrió con desidia.

—Usted no tiene ni idea de qué va esto.

Su suerte estaba echada, así que decidió aumentar el desconcierto de Roura.

—Va de matar a Franco.

Esteve Roura apretó tanto las mandíbulas que casi las aplastó una contra la otra.

Miquel quiso tranquilizarle.

—Estoy solo, no tema. Nadie más lo sabe.

—¿Con quién ha hablado?

—Con nadie. Mateo y Pascual Virgili han muerto, Enric Macià sigue detenido, Maurici Sunyer ya no estaba en su escondite de la fábrica hace un rato.

—Maldito hijo de puta... —Crispó los puños.

—Le repito que nadie más lo sabe. Yo sólo he seguido un rastro. Todo el mundo deja uno, como los caracoles. No me ha sido muy difícil, ha bastado con ir juntando las piezas, aunque encontré unas anotaciones en una libreta de Mateo que fueron la clave.

—¿Qué anotaciones?

—31 de mayo, «Libertad», «¡Bum!», «Esperanza»... Gráfico, ¿no?

—¿Qué iba a hacer cuando me encontrase?

—Nada.

—¿Nada?

—Resolver un caso, aunque sólo fuera para mí, y al menos decírselo a María.

—¿Y decirle también que su padre fue un traidor?

—No, eso no. A fin de cuentas lo hizo para salvarla a ella.

—¿Así que me encuentra y se va, tan pancho?

—Sí.

—Y qué más.

—Usted es un contrasentido, Roura. —Le miró a los ojos sosteniendo su mirada rabiosa—. Por un lado es un asesino, y por el otro, si su loco plan sale bien, será un héroe.

—Exacto. —Le enseñó los dientes en una falsa sonrisa—. ¿No le parece gracioso?

—No sea absurdo y desáteme.

—¿Desatarle? ¿Por qué?

—Fui sentenciado a muerte por Franco, indultado después, y pasé ocho años y medio en el Valle de los Caídos. ¿Cree que les tengo simpatía?

—Eso no significa nada.

—¿Que no? He tragado la misma mierda que usted, no me venga con estupideces.

—Habla con mucha confianza para estar atado a una silla.

—La verdad siempre es lo más simple. Piense con lógica.

—Eso hago. ¿Cómo me ha encontrado?

—Todo el mundo con el que he hablado me ha dicho lo de su locura por el cine. Su prima Esperanza, Pepe, la señora García...

—Oiga, ¿desde cuándo está buscándome?

—Desde ayer por la mañana.

—¿Seguro que tiene sesenta y cinco años? Se mueve rápido.

—Quien tuvo retuvo, o eso dicen.

—Siga. Aún no me ha dicho cómo sabía que estaba oculto aquí.

—En la fábrica donde Sunyer esperaba el momento encontré prospectos de cine. Eso me hizo recordar algo. Si usted no acompañaba a Sunyer, si se habían separado, por lógica precaución, para que no pudieran detenerlos juntos, es que se escondía en otra parte. Y lo que recordé fue un comentario de su vecina: usted conquistó a la taquillera de este cine no sólo para ver películas gratis, sino para pasar el rato aquí con ella. Un cine que, casualmente, estaba cerrado ahora por obras.

Se le descompuso la cara.

—Mierda —exhaló.

—La policía no interrogó a su vecina, tranquilo.

—Soy un bocazas. —Se golpeó la pierna con una mano.

—En eso le doy la razón.

Su aplomo era real, pero también impuesto, forzado. Roura recuperó los nervios y perdió parte de la escasa paciencia que le quedaba.

—¿Quiere que le cierre la boca de un guantazo?

—Usted ha preguntado.

—¡Cállese!

Se levantó de la silla y paseó igual que un león enjaulado, arriba y abajo de la habitación. Acabó dándole una patada al colchón. Le hizo un corte a la tela, ya de por sí vieja y podrida. Por el boquete asomaron unas pocas plumas aplastadas por el uso.

—¿Ha visto a Sunyer? —Se detuvo.

—Ya le he dicho que no, pero tenía que haberse deshecho de las fotos de Colón y del maniquí. Las fotos por lo evidente, y el maniquí porque, aun suponiendo que la policía busque a un hombre manco, él ya no lo será: llevará el brazo izquierdo en cabestrillo con la mano vendada.

—¡Maldito hijo de la grandísima puta! —Se plantó delante de él y casi pegó su nariz a la suya—. ¿No comprende lo que está en juego?

—Claro que lo comprendo.

—¡Nos jugamos todo, coño! ¡Hoy va a cambiar la historia!

—La historia no cambia, sigue. —Su tono fue solemne—. Como mucho habrá otra guerra, como poco una represión brutal.

—¡Volverá la República!

—¿Con qué medios? ¿Con qué líderes?

—Pero ¿usted de qué lado está? —No pudo creerlo—. ¿Quiere impedirlo?

—No —dijo—. Ni puedo colaborar ni menos podría hacer nada. No es el caso, Roura. Ética y estética.

—¿De qué diablos está hablando?

—Nada, cosas mías.

—Me está hartando, ¿sabe? —Empezó a perder la paciencia—. Aparece por aquí como un fantasma, me toca los huevos, lo sabe todo... ¿O no? —Frunció el ceño—. ¿No me estará sonsacando para que sea yo quien...?

—¿Por qué no me desata? Casi no siento las manos.

—Hable.

—Por favor...

—¡Hable! —Volvió a sentarse en la silla—. ¡Vamos, ilumíneme!

—¿Es necesario?

—Me resulta imposible creer que lo sepa todo.

—Fui policía —insistió.

—Es un viejo, y en dos días no puede haber desentrañado todo un plan como el nuestro.

—Dos días dan para mucho, sobre todo si se juntan las

pequeñas piezas y se presta atención a los detalles. Lo asombroso es que la policía no haya sido más lista.

—Ésos sólo saben torturar y matar.

—Ahí le doy la razón. Además, la visita de Franco ha puesto la ciudad patas arriba. Si creen que han desarticulado la trama, pese a no haber detenido a dos de sus miembros... Todo es posible.

—Sorpréndame, venga.

—Antes desáteme.

—No voy a hacerlo.

—Usted está armado, yo no.

—No estoy armado.

—Tiene la pistola con la que mató a Policarpo... —Dejó de hablar al comprenderlo—. No, claro. La pistola también la tiene Sunyer, para quitarse la vida después de haber arrojado las dos granadas. Enfermo o no, mejor hacerlo por su mano que ser torturado en la Vía Layetana.

Los ojos de Esteve Roura eran dos rendijas.

Parecía agotado.

Incrédulo y agotado.

—Estoy esperando —le apremió.

—Llegará tarde a Colón.

—Hable.

No tenía otra alternativa, así que lo hizo.

34

—Usted conoció a Mateo Galvany el 3 de abril en casa de su prima Esperanza. Era la merienda de su cumpleaños y asistió de casualidad, por el simple hecho de que acompañó a su madre. Mateo era un ex policía, viejo, pero que compartía con usted el mismo odio hacia el fascismo, la dictadura, Franco... La guerra les arrebató todo, arruinó sus vidas, acabó con sus seres queridos y los sumió en este presente gris y vacío. Usted es de los que hablan en voz alta, a veces sin mirar quién tiene cerca. Pero esa tarde encontró a un igual, así que se hicieron amigos. En otras circunstancias no habrían tenido nada que ver el uno con otro, pero en éstas...

—Lástima que tuviera esa maldita hija.

—No sea injusto. Al menos a él le quedaba ella —repuso Miquel antes de continuar—. Un día llevó a Mateo al club Goya, y allí se lo presentó a Virgili y a Macià. No eran más que cuatro jugadores, pero ellos también sentían el mismo odio por el maldito Caudillo, los curas, cuantos habían subvertido el orden constitucional sin que nadie en Europa moviera un dedo para impedirlo. Así que un médico, un ex policía, un secretario y usted, que trabajaba en una imprenta, jugaban y luego hablaban de política.

—Exacto, hablábamos —lo dijo con desprecio—. Hablar y hablar y sólo hablar, sin hacer nada, sin mover un dedo. Como todos en este jodido país.

—Entonces, un día, lo más probable es que Macià les hablara de la visita de Franco. Esas cosas son secretas, se mantienen bajo llave, pero hay que prepararlo todo con tiempo, agendas, seguridad, protocolos... Puede que Macià incluso se enterase de casualidad, por oírlo, por ver un papel, por pillar una conversación casual...

—Macià lo sospechó por unos movimientos en materia de seguridad. Había que blindar Barcelona el 31 de mayo y el 1 y 2 de junio.

—Era la tercera visita de Franco. Las dos primeras habían sido triunfales, con la gente en las calles, que es lo que más duele: ver el olvido, la forma en que la falsa paz y una mentira pueden consolar al pueblo. Para muchos, tener al Caudillo en Barcelona aún es una afrenta, una forma de escupir sobre las tumbas de nuestras mujeres e hijos.

—¿Tuvo un hijo?

—Murió en el Ebro. Mi esposa, de cáncer a los pocos días del final de la guerra.

—¿Por eso no se marchó al exilio, como todos?

—Sí.

—Continúe, lo hace bien.

—A usted se le encendió la bombillita cuando Macià les contó eso. Y de ser cuatro derrotados sin más se convirtieron en cuatro revolucionarios. Lo más seguro es que al contarles su plan, porque me apuesto lo que quiera a que la idea fue suya, ellos se echasen a reír.

—Lo hicieron —resopló con sorna—. Virgili incluso dijo que era una estupidez. No una locura: una estupidez.

—Pero les convenció.

—¡Porque era el atentado perfecto, sin huellas, sin ningún hilo del que tirar! —Le podía el orgullo y la inconsciencia. Tenía un público—. ¿Quién iba a descubrir algo tan simple?

—Había que buscar un ejecutor, alguien a quien no le importase morir, porque estaba claro que quien asesinara a

Franco no iba a salir con vida del atentado. O le mataban allí mismo o la policía lo llevaba a la tortura y le arrancaban la piel a tiras. —Retomó la cadencia de su explicación—. De esta forma, cada uno de ustedes tuvo un trabajo que hacer. El plan era cosa suya, Macià se encargaba de la logística, averiguar cómo y cuándo llegaría Franco y el camino que seguiría en su paseo triunfal por la ciudad, Mateo tenía que conseguir las dos granadas de mano y la pistola gracias a sus viejos contactos policiales, y Virgili lo financiaba todo, porque era el más adinerado, y buscaba al candidato: un hombre tan enfermo que apenas le quedaran unas semanas de vida. Encima, carambola: el candidato resultó ser un viejo campeón de lanzamiento de peso. Una maravillosa casualidad que permitía realizar el atentado a distancia, sin necesidad de acercarse mucho a Franco. Manco o no, Sunyer era perfecto. Y tan lleno de odio como ustedes, porque la guerra también se lo arrebató todo. Con un aneurisma de aorta torácica le quedaban pocas semanas de vida.

—Sí. —Mostró toda su satisfacción—. El candidato ideal, ya puede decirlo. ¿Cabía más suerte?

—Dígame, ¿fue un azar o...?

—No lo sabe todo —pareció alegrarse Roura—. De hecho, el plan se me ocurrió el día que Virgili nos contó que Sunyer era su paciente. Un ex campeón de lanzamiento de peso con sólo un brazo, sin familia, tan amargado como nosotros, y con esa enfermedad terminal. Fue sólo un comentario casual, un «pobre hombre, hay que ver qué cosas pasan». Pero a mí se me encendió la bombillita.

—Los hados les favorecían.

—Hablamos con él y se lo propusimos. Aceptó a la primera. Un valiente. Un verdadero valiente. —Asintió con la cabeza.

—Y llegó el entrenamiento, en Montjuïc.

—¿También sabe eso? —No pudo creerlo su compañero.

—Sunyer llevaba años fuera de circulación, y con sólo un

brazo... Por suerte una granada de mano no es tan pesada como la bola de las competiciones atléticas. Lo esencial es que pudiera lanzarla sobre un pequeño receptáculo cuadrado en movimiento, es decir... el espacio del coche descapotable que utilizaría Franco en su paseo por Barcelona, que aunque fuera a velocidad reducida requería precisión. Para eso querían dos bombas, para estar seguros de que al menos una caería a sus pies, si no las dos. —Hizo un gesto de dolor, porque ya era incapaz de sentir sus manos—. Usted se hizo un carrito de madera más o menos del tamaño del interior del coche, y lo arrastraba mientras Sunyer lanzaba piedras tratando de meterlas dentro.

—Pero ¿quién pudo contarle esto, *mecagüen* la puta?

—¿Cree que en Montjuïc no hay ojos?

—¡No! Sólo...

Abrió los suyos al límite.

Miquel esperó a que lo comprendiera.

—¿Sabe también por qué se torció todo? —se rindió Roura.

—Mateo Galvany sabía dónde encontrar esas dos granadas y la pistola. Durante muchos años el clan de los Fernández se nos había resistido. Siempre salían impunes de todo. Ahora, no sólo sobrevivían, sino que continuaban con sus negocios. Inmunes en democracia, inmunes en dictadura. Listos como el hambre, poderosos y con tentáculos. El viejo enemigo seguía siéndolo, pero ya no para Mateo. Fue a ver a Policarpo Fernández, le encargó las dos granadas y el arma y esperó. Nadie contaba con que uno de los hombres en apariencia fieles a Policarpo fuese un confidente de la policía, alguien encargado de irles contando cosillas. Así tenían controlado al clan y, cuando fuera necesario, acababan con él y en paz.

—¿No fue ese tal Policarpo el que...?

—No. Usted mató al hombre equivocado. Su único y mayor error, porque ellos, el clan, la familia entera, van a perseguirle hasta la tumba, se lo aseguro.

Esteve Roura se había puesto súbitamente pálido.

—¿Saben que fui yo?

—Sí. —Pensó en su cita del día siguiente con Terencio.

—¿Se lo ha dicho usted?

—Lo comprendieron al saber que Mateo había sido atropellado —mintió con aplomo.

—Maldito Mateo... —Suspiró el promotor de toda aquella insólita locura.

—Mi ex jefe compró las granadas y la pistola. Esa misma tarde se las llevó a Sunyer. Por eso la policía no las encontró en su casa cuando fueron a detenerle, guiados por la delación del hombre de Policarpo. Pero la policía tampoco sabía de la misa la mitad. Iban a por un simple tipo que había comprado dos granadas y un arma. ¿Para qué? Cuando interrogaron a Mateo se tropezaron con su resistencia. No le habrían sacado una palabra. Pero no son tontos. Los hijos se nos cuelgan del cuello para siempre. Bastó con que amenazaran con matar a María. Mateo se vino abajo y les contó todo. La policía alucinó: ¡un plan para matar ni más ni menos que al Caudillo! Entonces supongo que les perdió la impaciencia. A Virgili y a Macià les cogieron fácil, pero Sunyer y usted escaparon. La señora Luisa me dijo que Sunyer les vio llegar a su casa y echó a correr con cien pesetas que le pudo dar. Usted no sé cómo lo consiguió.

—Sunyer ya tenía pensado irse desde el mismo momento en que orquestamos el plan, para que nadie pudiera localizarle salvo yo. Tardó demasiado en hacerlo. Lo importante es que logró escapar.

—¿Listo?

—Precavido.

—Pero le contó a Pura lo de sus «ensayos» con las piedras. Una prostituta de la calle Robadors.

—No podía pasar sin sexo, el muy... —Llegó a sonreír Roura.

Sexo con Pura. Sexo con Carmelita. ¿Quién no tiene una debilidad, como Roura el cine?

—¿Sabe que Virgili murió en los interrogatorios?

—Sí.

—La policía cumplió su parte: liberó a María. Mateo nunca hubiera vuelto a ver la luz, pero al escapar dos de ustedes, la policía ideó otro plan: soltarle por si les llevaba hasta ellos. Le pusieron una sombra. Mateo no salió de su casa en tres días, pero el domingo, ya más recuperado, quiso ver a Esperanza. Usted sabía que ése era el nexo. Robó un coche y le atropelló con la idea de que pensaran en un accidente. Nadie lo creyó, y menos María. Tuvo suerte de escapar de los disparos del policía que vigilaba a Mateo.

—¿También sabe lo de esos disparos?

—El quiosquero de esa esquina fue testigo. Basta con preguntar.

—¿Qué más?

—El resto ya... —Se encogió de hombros—. Mateo les había dicho a quién le compraba las dos granadas. Usted ató cabos: el proveedor de esas granadas era el único que podía haberse ido de la lengua. Después de atropellarle a él, se llevó la pistola de Sunyer y fue a por Policarpo Fernández. No era fácil acercarse a un tipo tan protegido, pero tuvo suerte, mucha suerte. Le siguió a distancia y ayer él se fue a ver a una amiguita. Sus guardaespaldas esperaban abajo. Eso le dio una idea de qué podía hacer Policarpo en esa casa. Usted subió un tramo de la escalera, aguardó paciente fuera del alcance visual de los tipos y le mató en el mismo rellano cuando él salió de nuevo. Como despedida, se escapó por la azotea. Limpieza hecha. Luego vio a Sunyer por última vez para devolverle al arma. Lo malo es que hoy, en el entierro, Terencio, el último del clan, estaba muy enfadado, no sé si me entiende.

—Tenía que haber esperado, ¿no es cierto? —Pareció lamentarlo.

—Sunyer tenía su misión, pero usted, aun escondido, no podía estarse quieto.

—Es como si me conociera —ponderó.

—Dígame una cosa: ¿sabían todos el lugar del atentado?

—No, eso lo decidimos Sunyer y yo después de la redada.

—O sea que la policía no tiene ni idea de que él estará en Colón.

—Ni idea.

Dejaron de hablar. Miquel ya no podía más, tanto por el dolor de cabeza como por la insensibilidad de los brazos, porque ya no sólo eran las manos.

Sentía una feroz opresión en el pecho.

—Me duele... —gimió.

Esteve Roura lo contempló unos segundos más.

—Es usted un buen policía —dijo.

—Lo fui, pero... sí, supongo que todavía lo soy.

—Otra vida perdida en esta mierda.

—¿Y si Sunyer falla?

—No fallará. A tres o cuatro metros del suelo, subido a Colón, meterá las dos granadas en el coche, una tras otra. Si Franco no muere, que ya será raro, por lo menos le aseguro que se quedará sin cojones. —Exhibió una falsa risa de sadismo.

—¿Y si le cogen y no tiene tiempo de pegarse el tiro?

—Es su riesgo. De hecho, no sé ni cómo aguanta. Estos últimos días ha ido a peor, como si en lugar de semanas le quedara mucho menos. —Hizo un gesto de admiración—. ¿Sabe qué le mantiene en pie? El odio. Mire que yo odio a ese cabrón gallego, pero Sunyer... Él me gana.

—Conozco su historia.

—Faltaría más, don Listo.

—Voy a desmayarme —le avisó Miquel.

—No joda, va. Dígame una cosa. —Esperó a que le mira-
ra—. Soy el hombre que mató a su amigo, aunque hasta usted
entiende que fue un ajusticiamiento. Pero también soy el
hombre que vengará a la República y hará lo que un millón de
republicanos harían si pudieran: acabar con la bestia. ¿Cómo
digiere eso?

—Ya le he dicho que sólo buscaba una respuesta que darle
a María.

—Su padre nos vendió.

—Yo inventaré una historia.

—¿Lo convertirá en un héroe?

—Todos los padres deberíamos ser héroes para nuestros
hijos, aunque en el fondo no seamos más que simples seres
humanos cargados de imperfecciones. No voy a dejar que
María crea lo contrario.

—Usted es peligroso.

—¿Y usted no? Si va a llamarme idealista, primero mírese
en un espejo.

—Oiga, Mascarell, o acabamos con él o ése será capaz de
morirse en la cama y darnos por el culo mientras se ríe de todos nosotros. Usted lo sabe, que por algo somos lo que
somos.

—¿Qué va a hacer... conmigo? —balbuceó al límite de la
consciencia.

—No lo sé. No voy a matarle, desde luego.

—Entonces...

—Lo dejaré aquí.

—¿Y si no vuelve?

—En unas horas aflojará esas cuerdas, seguro.

—Moriré.

—Lo siento. —Esteve Roura se puso en pie.

Por detrás de él, en la puerta de la habitación, Miquel advirtió un movimiento.

Casi no pudo creerlo.

Sonaron unos aplausos, lentos, cadenciosos.

Uno, dos, tres.

Roura se volvió asustado.

Se quedó paralizado al ver a los dos hombres y las dos pistolas que le apuntaban al pecho.

Él no les conocía.

Miquel al tercer hombre, el que había aplaudido, sí.

Terencio Fernández.

35

Esteve Roura cometió un error.

Pese a la amenazadora presencia de las armas, intentó huir.

A uno de los gorilas le bastó un golpe para derribarlo al suelo, igual que un pelele. No hizo falta que utilizara la mano armada. Le bastó la otra, con el puño cerrado. Un impacto muy seco. Se quedó allí, retorciéndose de dolor.

Todo muy rápido.

—Inspector —lo saludó Terencio inclinando levemente la cabeza.

—¿Qué demonios estás haciendo aquí?

—Para ser un poli, es bastante incauto —habló con su habitual pragmatismo, sin prisas, unas veces arrastrando las palabras y otras columpiándose en ellas.

—Me has seguido.

—¿Qué iba a hacer? ¿Esperar a mañana? Usted mejor que nadie sabe que el tiempo es esencial en todo, y más cuando se trata de coger a alguien. La diferencia entre pillarlo o no es cuestión de muy poco. ¿No dice la policía que los casos han de resolverse dentro de las cuarenta y ocho horas siguientes o luego se complican mucho? —Llegó hasta él y se cruzó de brazos observándolo con seriedad—. Sabía que tenía una pista. A mí ya no me engaña nadie, inspector. Y no soy de los que esperan, nunca, por nada.

No vio simpatía en sus ojos, pero sí respeto.

Primero, le descubría al confidente. Ahora le llevaba hasta el asesino de Policarpo.

—¿Puedes soltarme, por favor?

Terencio le hizo una seña a uno de sus hombres, el que de momento todavía no había intervenido. El primero encañonaba a Roura, más por hábito que por necesidad. El secuaz se guardó el arma en el bolsillo y se colocó detrás de Miquel para soltarlo de sus ataduras. Cuando los dos brazos le cayeron a peso, ni siquiera pudo levantarlos. Estaban muertos. Una corriente de sangre entró en tropel por sus venas vivificándoselas al instante.

Comenzó a sentir el hormigueo de la vida.

Luego le quitó las ataduras de las piernas, pero él siguió sentado, incapaz de levantarse.

Esteve Roura reculó hacia la pared y se quedó con la espalda apoyada en ella, espectador asombrado de la escena que se desarrollaba ante sus ojos. De pronto, su escondite parecía las Ramblas.

—¿Quiénes son éstos? —le preguntó a Miquel con el rostro descompuesto.

Miquel no escatimó la verdad.

—Le presento a Terencio Fernández, hermano del hombre al que mató ayer por error.

Los ojos se le desorbitaron todavía más.

Aunque duró poco.

Lo entendió, y una vez aceptado lo irreversible, se vino abajo. Cabeza, hombros, resistencia, moral...

Cerró los ojos y redujo su expresión a una máscara llena de dolor y arrugas.

Los dos gorilas tenían los pantalones sucios. Terencio estaba impoluto, con su traje perfectamente cortado a la medida, sin una arruga. El descenso por la ventana era cosa de ellos. Seguro que prácticamente le habían llevado en volandas.

—¿Has oído algo? —preguntó Miquel.

—Todo.

—¿Y?

El mafioso se encogió de hombros.

—Ya me conoce, inspector. Cada cual, lo suyo. A mí sólo me interesa ese hijo de puta.

—Así que neutral.

—¿Va usted a hacer algo?

—Dejar que la historia siga su curso.

—¿Lo ve?

—Yo no puedo hacer nada. Tú eres de los que sacan provecho de todo.

—Oiga —se inclinó sobre él cincelando algo parecido a una sonrisa en su rostro—, no me caliente los cascos ni me ponga a prueba, ¿de acuerdo? No soy republicano, ni soy fascista. Soy de mí mismo. Mi patria es mi casa, y mi ley la que yo dicto. No me cae bien ese gordito de voz aflautada. Y no me cae bien por muchas cosas, porque armó la de Dios es Cristo, porque nos metió en una guerra, porque por su culpa murieron muchas personas, como mi hermano Abelardo, que él sí tenía conciencia social, política, como quiera llamarlo. Pero mire, la verdad, mande quien mande a mí me joderá lo mismo. Y no olvide lo peor: que este país es la hostia, y nosotros, usted, yo, tendremos que espabilarnos igual. El enemigo del pueblo es siempre el poder.

—Una buena declaración de principios.

—Filosofía de la vida, lo llamaba Poli.

—¿Qué vas a hacer con él? —Señaló a Roura.

—A usted qué le parece.

—Cometió un error.

—Mató a mi hermano. Me da igual el motivo. Tenemos un código. Sin él no seríamos lo que somos. Todo lo demás me importa muy poco.

—Escuche... —intentó hablar por primera vez Roura.

El que le había sacudido le clavó la puntera del zapato en el costado.

—No supliques —le advirtió Terencio.

Pese al dolor, el herido levantó la cabeza y se enfrentó a él.

—No... no suplico por mi vida... —jadeó hablando a trompicones—. Ya me... da igual... Pero por favor... Por favor... Hágalo mañana...

El mafioso levantó las cejas. Luego miró a Miquel.

—Está más loco de lo que parece.

—Mañana... —insistió Roura, convirtiendo su tono en una súplica—. O esta noche si lo prefiere, después... —Un hilillo de sangre resbaló por la comisura de sus labios. Lo retiró con el antebrazo—. Después de que se sepa la noticia de... la muerte de Franco.

El secuaz de Terencio fue a darle otro golpe. Su jefe lo evitó con un simple gesto de la mano derecha.

—¿Tanto te da morir, hijo de puta?

Esteve Roura volvió a sonreír.

—Sí —dijo—. Déjeme disfrutar de mi premio.

Miquel probó sus fuerzas. Ya podía mover los dedos de las manos. El hormigueo de brazos y piernas menguaba. Se puso en pie sin que nadie hiciera nada por evitarlo. Cuando vio que se sostenía, suspiró. Movió la cabeza para calmar el dolor del golpe recibido al entrar en aquella habitación. Una punzada le recordó que no debía pasarse mucho haciéndose el fuerte o el valiente.

Le había preguntado a Terencio qué iba a hacer con el asesino de su hermano, pero no qué pensaba hacer con él.

Una duda interesante.

Todos miraban a Roura.

—Escuche, señor —intentó ser lo más convincente posible—. Todos los que han participado en esto han muerto o van a morir. Galvany y Virgili ya lo están. Macià lo estará pronto, fusilado o en prisión. Sunyer dentro de unas horas y yo... Vamos, por favor. Lo que le pido es justo. Usted parece un hombre de honor.

—No hay honor en matar a una persona por la espalda, dándole un tiro en la nuca.

—¡Yo no sabía...!

La nueva patada le dio en la mandíbula, de lado, y le proyectó contra la pared, en la que rebotó de espaldas para volver a caer al suelo boca abajo.

Terencio se enfrentó a Miquel.

—Váyase, inspector.

—Terencio...

—Váyase o serán dos. A mí no me importa. No hago más que ser justo y pagar sus servicios.

—Cada vez que te doy la espalda matas a alguien. Poncio, ahora él...

—Entonces procure no cruzarse mucho en mi camino —le advirtió—. Aunque si quisiera trabajar para mí...

—¿Es una oferta? —Miquel no pudo creerlo.

—Tiene olfato, encontraría una aguja en un pajar, y es honrado. Una extraña combinación.

—Gracias.

—Considérelo un honor.

No sonrió, pero no le faltaron las ganas.

Desde que había llegado a Barcelona no hacía más que dejar cadáveres a su espalda. Rodrigo Casamajor en julio del 47. Benigno Sáez en octubre del 48. Y ahora dos más, Poncio y Roura.

Siempre había un ejecutor: el padre de Celia Arteta, los maquis o Terencio Fernández.

Una curiosa concatenación de hechos.

—¿Qué harás con él, dejarlo aquí? —Se resistió.

—No. —Plegó los labios—. Lo dejaremos por ahí, en la calle, a la vista. La policía debe de estar buscándole. Cuanto antes le encuentre, mejor para que se olviden de todo. Si el otro muere dentro de un rato, se acabó. Encima, como le salga bien esa chapuza de plan que se han inventado, esto va a ser un infierno. Habrá que cuidarse mucho.

Miquel miró a Esteve Roura por última vez.

Un héroe.

El hombre que mataría a Franco.

Un héroe del que, quizá, jamás se sabría nada, porque la «gloria» sería para Sunyer.

Aunque todo dependía del momento, de quién mandase, de los años y de la historia.

Un héroe que iba a morir porque también era un asesino.

Tan incongruente.

—¿Por qué no esperó a que pasara todo para cumplir su venganza? —le preguntó Miquel.

El caído ya no le respondió.

—Inspector, me está haciendo perder la paciencia —tronó la voz de Terencio, ahora sin el menor asomo de amistad en su tono.

Miquel caminó en dirección a la puerta de la habitación.

En una guerra, todo eran víctimas.

El precio de la inocencia.

Cruzó aquel umbral y llegó al pasillo. Se desplazó por él paso a paso, como si tuviera ochenta años, hasta que poco a poco recuperó la movilidad y el acartonamiento fue cesando. La cabeza ya le dolía menos, aunque de vez en cuando una punzada se la cruzara con toda intensidad. Al llegar a la escalerita que conducía a la caseta superior miró hacia atrás. Uno de los energúmenos le vigilaba. Puso un pie en el primer peldaño y desapareció de su vista.

Cuando llegó arriba escuchó el primer grito de Esteve Roura.

Muy ahogado.

Terencio no iba a contentarse con matarle.

Salió al exterior y le golpeó el sol de la tarde. Otro bonito día de primavera, como si el tiempo se aliara con Franco para recibirle en la hermosa Barcelona que había puesto a sus pies.

La hermosa Barcelona.

A las putas también las engalanaban para que el cliente pagara más y se quedara satisfecho.

Se sintió culpable por ese pensamiento.

Barcelona.

Su Barcelona.

—También caímos en 1714 y nos levantamos. —Suspiró.

Caminó junto al muro apoyándose en la pared hasta la ventana de la casa. Puso un pie en el hueco inferior, abierto por Roura para subir y bajar con comodidad, y pese a todo, su edad o su estado, le fue relativamente fácil llegar al otro lado, aunque primero se aseguró de que ningún vecino le sorprendía. Bajó la escalera despacio, tenso, pero ya no escuchó nada.

Una vez en la calle, prescindiendo del cansancio, siguió caminando, para desentumecer los músculos, sin pretender buscar un taxi.

36

El paseo Nacional, las Ramblas, el entorno de las Reales Atarazanas, la Barcelona más próxima al mar, mostraba las dos caras de la misma moneda. Por un lado, expectación; por el otro, curiosidad. Pero había más monedas. La que tenía el clamor en la cara y el silencio en la cruz, la que gritaba y la que callaba, la que reía y la que lloraba.

La paradoja de un tiempo.

El monumento a Colón estaba ya tomado desde hacía rato. Imposible subirse a él. Algunas personas se sentaban en los huecos, y las que se encontraban de pie las tapaban a la espera del momento clave, cuando Franco pasase por delante y se incorporasen. Se dio cuenta de que todo eran hombres, y, como mucho, algún niño. No había mujeres. ¿Quizá porque no era femenino subirse a una estatua? Alargó el cuello lo más que pudo, pero no consiguió ver a Maurici Sunyer.

Tampoco le conocía físicamente, aunque eso fuese irrelevante.

¿Cuántos hombres con el brazo izquierdo en cabestrillo podía haber allí?

Buscó la forma de acercarse más y ya no pudo.

—Oiga, no empuje.

—Perdone.

—Haber llegado antes.

—Lo siento.

—Que yo llevo aquí ya hora y media, para tener buen sitio.

—No quería pasar, sólo estoy buscando a alguien.

—Ah, eso es otra cosa, venga, venga.

—No, no importa, gracias.

—Que no, que si sólo es para mirar...

El hombre, unos treinta y tantos, se apartó para que alargara el cuello. El resultado fue el mismo. Un par de mujeres se molestó un poco y le dirigieron sendas miradas de disgusto.

—Es un señor mayor —lo justificó el hombre—. Busca a alguien, ahora se va.

Las dos mujeres centraron su atención en Miquel.

El señor mayor.

—Si es que tendrían que poner sillas para la gente vieja —dijo una.

—Ya, y también para las señoras, y los excombatientes, y los heridos de guerra... ¿Qué más quieres? —se burló su compañera.

Miquel retrocedió.

—No le veo. Ha sido muy amable. —Hizo un leve gesto con la cabeza.

—Nada, tranquilo. Hoy es un día especial.

—Y que lo diga.

Se apartó de las primeras filas y se movió por las más alejadas, siempre con los ojos fijos en el monumento a Colón. Sunyer podía estar en cualquier parte, tal vez al otro lado, y no se dejaría ver hasta llegado el momento.

«¿Y qué más te da dónde esté?», se preguntó de pronto.

Quería verle, nada más.

Presenciar el momento.

Ni siquiera sabía por qué.

¿Morbo? ¿Ser testigo de la historia? ¿Su propia venganza pensando en Quimeta y en Roger, incluso en su hermano separado de Barcelona y viviendo en el exilio, tan lejos? ¿El precio de los ocho años y medio pasados en el Valle de los Caídos viendo morir a tantos republicanos?

Caminó un poco más.

Se sentía agotado, pero también... ¿cómo explicarlo?

Aquel gentío, aquellos gritos, «¡Franco! ¡Franco! ¡Franco!», aquellas banderas españolas... Nadie trabajaba esa tarde. Las empresas habían dado permiso a sus empleados para ir a recibir al «salvador» de la patria. Y la gente, como una alfombra extendida sobre las calles, lo llenaba todo, hasta el último rincón. ¿La misma gente que había luchado por la República? ¿La misma cuyos padres, maridos o hijos habían caído en el frente? ¿La misma que soportó los atroces bombardeos que buscaban crear el máximo miedo en la población civil? ¿La misma que pasó hambre y frío? Aquella mañana del 26 de enero de 1939, viendo a las tropas victoriosas entrando por la Diagonal, se preguntó de dónde sacaban los supervivientes las banderas, y si el entusiasmo y la alegría eran reales o un simple alivio por el fin de la guerra. Habían pasado poco más de diez años y todo seguía igual o... Banderas, saludos fascistas, gritos de adhesión al vencedor.

¿Tan rápido el olvido?

¿Tanta necesidad de paz a cualquier precio?

¿Tanto miedo que masticar y tragar con tal de seguir adelante?

¿Y los más de cien mil cadáveres enterrados en cunetas y montañas, fosas comunes y cementerios, a la espera de un tiempo mejor en el que volver a merecer un respeto y recuperar su dignidad, mientras el régimen seguía fusilando y aumentando la cuenta?

El dictador volvía por tercera vez a Barcelona y allí estaba la ciudad rendida a sus pies.

Tal vez los que permanecían en sus casas fueran más numerosos, mucho más, pero ellos callaban.

También lo hacían algunos de los presentes, obligados a

presenciar toda aquella parafernalia porque si no podían ser represaliados por sus empresas, que en caso de estar lejos habían puesto autocares para la movilidad de sus empleados. Era un día sin excusas. Hasta los enfermos debían curarse milagrosamente.

Un guardia civil le miró fijamente.

Siguió caminando.

¿Y si se encontraba con el comisario Amador?

El trayecto de Franco por Barcelona sería largo, desde el puerto hasta la catedral, porque era impensable que no se celebrase un tedeum, y luego hasta el palacio de Pedralbes. Amador no conocía el lugar del atentado. Si creía haber desarticulado la trama, quizá se relajase.

Pero ¿cabía relajación ante el simple riesgo de que el plan siguiera adelante?

Roura, Macià, Virgili, Sunyer y Mateo Galvany formaban un grupo, pero ¿y si había otros?

Amador le cortaría en pedazos si alguien se acordaba de él o si más tarde le relacionaba con el atentado.

Rodeó Colón por el otro lado y siguió buscando a su fantasma.

Nada.

Comenzaron a escucharse cañonazos. Los barcos del puerto hicieron sonar sus sirenas. La muchedumbre se agitó.

—Viene en el *Méndez Núñez* —dijo alguien—. Eso es que ya está aquí.

—Sí, son las salvas de ordenanza.

—¡Mira!

Se habían soltado miles de palomas que en su volar formaron una nube negra sobre la zona.

—A ver si se nos cagan encima —pronosticó un agorero.

Los que le rodeaban se rieron.

Dejó de buscar a Maurici Sunyer y se sentó en el suelo, sin más. Ya poco importaba, porque su traje era una ruina. La posición era incómoda. Los cañonazos cesaron pero no el ulular de las sirenas. No muy lejos se escuchó un griterío mayor. Los que estaban en la parte alta del monumento a Colón, al menos la que daba al mar, otearon la Puerta de la Paz y levantaron sus manos señalando algo.

Francisco Franco Bahamonde, Caudillo de España y Generalísimo de los Ejércitos, acababa de poner pie en tierra.

Siguió sentado apenas diez o quince minutos más.

Luego volvió a incorporarse.

Regresó a las primeras filas. Ahora sí, Sunyer tenía que hacerse visible. Y más aún, aparecer en la parte delantera del monumento, desde donde pudiera arrojar las granadas al paso del coche de Franco y el alcalde de Barcelona. En su nueva posición veía parte de la calle.

Pero ni rastro del magnicida en el monumento.

Sintió un nudo en el estómago.

La mente en blanco.

No quería pensar. No valía la pena. Allí se jugaba el destino de España pero él no era ya nadie, sólo un hombre mayor y cansado.

Los minutos transcurrieron muy despacio.

Hasta que la multitud se convirtió en una voz única.

—¡Franco! ¡Franco! ¡Franco!

Estiró el cuello lo que pudo. La Guardia Mora avanzaba al paso, con sus caballos enjaezados y ellos luciendo uniforme de gran gala, capa incluida y desparramada por su espalda hasta la grupa de la montura. Sostenían gallardetes tan tiesos como los palos en los que se asentaban, para que lucieran sus formas y colores. Por detrás de ellos apareció el coche descubierto de Franco, tocado con uniforme de la Marina, y el alcalde de Barcelona, José María de Albert, barón de Terrades.

Quedaban menos de cien metros.

Volvió la cabeza hacia el monumento a Colón y entonces sí le vio.

Por debajo de las estatuas de la parte alta del templete, de pie, con gente sentada a sus pies, donde él mismo habría estado oculto hasta ese instante.

Maurici Sunyer, el brazo izquierdo en cabestrillo, la falsa mano vendada, la derecha en el bolsillo de la chaqueta.

37

La Guardia Civil estaba de cara a la gente, en la calzada, pero no cerca del monumento, y había mucha, un cordón en estado de alerta. En lo primero que pensó Miquel fue en que tal vez Sunyer pudiera tirar una de las granadas, pero no la segunda. Dependía de si era rápido, o de si quienes le rodeaban se apercibían de lo que hacía y le detenían.

Claro que, si oían una explosión o veían una granada a punto de ser detonada, lo que harían muchos sería saltar, alejarse lo más rápido posible.

Dejó de respirar.

De pronto, por un lado, la escena se convirtió en un vértigo, pero por el otro se movió a cámara lenta.

Y no era una película, no estaba en el cine, ningún Clark Gable ni Humphrey Bogart harían nada, a favor o en contra. Tampoco había música, sólo el griterío humano.

Cerca de él, un hombre de unos cuarenta años lloraba.

Y no de emoción.

Puños apretados, mandíbulas cerradas, la expresión desconcertada ante lo irreal.

Odio.

No estaba solo.

Pero las lágrimas eran silenciosas.

—¡Franco! ¡Franco! ¡Franco!

El gentío se arremolinó y los que estaban detrás empujaron a los de delante. La Guardia Civil hizo un cordón para que no se desbordasen y, lo más importante, para que nadie se colara en el camino de la Guardia Mora y el coche descapotable. Miquel ya no perdió de vista a Maurici Sunyer, aunque con el rabillo del ojo estuvo atento a la proximidad de su objetivo.

Franco, de pie, saludaba con la mano derecha mientras se sujetaba con la izquierda, aunque el vehículo no iba a mucha velocidad, sobre todo teniendo que rodear el monumento, aunque se tratara de una curva muy suave.

Apenas si faltaban unos segundos.

Con el caos, aquello sería un pandemónium. Si le derribaban al suelo le pasarían por encima, igual que una marabunta enloquecida.

Pero ¿dónde sujetarse?

Apenas treinta metros.

Sunyer ya tenía la mano fuera del bolsillo, el puño cerrado.

¿Cómo arrancaría el seguro de la granada? ¿Con los dientes?

Lógico.

Contaban los detalles, los segundos.

Nadie reparaba en él. Los que compartían su mismo espacio estaban pendientes del coche y del Caudillo.

Veinte metros.

Su respiración se hizo fatigosa. Reapareció el zumbido en la mente, el dolor en el pecho. No sentía las piernas. Volvían a ser de cartón.

Franco y el alcalde de Barcelona pasaron por delante de donde estaba él.

Vio al dictador sonriendo, feliz, orgulloso.

Su mundo estaba en paz.

La gente gritaba y gritaba, las manos en alto, algunos brincaban. Un río flanqueado por dos orillas entusiastas.

Diez metros.

Entonces vio a Sunyer cayendo de rodillas.

No estaba tan cerca como para ver nítidamente su cara, pero tampoco tan lejos como para no darse cuenta de que aquel cadáver ambulante estaba llegando a su fin.

Su rostro blanco fue como si centelleara en la tarde.

Abrió la mano para dejar caer la granada y se la llevó al pecho.

Tan simple.

Con la boca abierta, buscando el aire que no llegaba a sus pulmones, con el último dolor de su vida multiplicado por mil a causa del fracaso, Maurici Sunyer vio pasar a unos escasos metros al hombre que iba a matar.

Se sostuvo todavía así, de rodillas, unos segundos.

El coche se alejó.

Y Sunyer se deslizó hacia abajo, como un fardo, arrastrando con su inesperado gesto a algunas personas que perdieron el equilibrio.

Apenas nadie les prestó una mínima atención.

—¡Franco! ¡Franco! ¡Franco!

Miquel se dio cuenta de que también él había dejado de respirar.

Lo hizo de pronto, como si emergiera del agua después de haber estado sumergido mucho rato.

Y toda su vida, desde aquel 18 de julio de 1936, pasó ante sus ojos.

El hombre que lloraba ya no estaba allí.

Le dio la espalda a la calle y cerró los ojos. Por un momento pensó que también iba a morir. Otro infarto, como el de Sunyer. Buscó a Patro en su mente y se aferró a ella. Fuerte. Firme. A su alrededor escuchó algunas voces, envolviéndole, rodeándole igual que una espiral de energía que se diluía rápidamente.

—Mira, alguien se ha desmayado en Colón.

—La emoción, seguro.

—Pobre, qué mala suerte.

—Bueno, tanto rato para verle pasar sólo cinco segundos...

—¿Qué quieres, mujer?

—Podría ir a pie, digo.

—¿Y si algún loco le pega un tiro?

—¡Ay, calla! ¿Quién haría una cosa así?

—¿Nos vamos?

—Ha sido el día más emocionante de mi vida. Cuando lo cuente a mis hijos y a mis nietos...

—Parece más alto, ¿verdad?

—Y guapo. En el No-Do nunca le sacan bien.

—Venga, a ver cómo salimos de aquí y llegamos a casa, que como no sea andando...

—Cómo eres, Mariano.

¿Qué sentía?

¿Nada?

No. Lo sentía todo, pero mezclado.

Tristeza, rabia, desconcierto, sorpresa, aturdimiento, calma...

¿Calma?

La gente seguía arremolinada en torno a Maurici Sunyer. Le bajaban de la parte alta del monumento. Algunos guardias civiles se dirigían ya al grupo al darse cuenta de que sucedía algo fuera de lo normal. Un hombre gritó al recoger lo que había caído de la mano del muerto y darse cuenta de lo que era. Otros lo hicieron junto al cadáver, tal vez por haber encontrado la otra granada y la pistola.

La Guardia Civil empezó a correr.

Uno sacó su arma.

Miquel se dio media vuelta y echó a andar, en dirección contraria, con la cabeza baja y la vista fija en el suelo.

No creía en las casualidades, ni en el destino, pero que el corazón de un hombre se detuviera diez segundos antes de hora se le antojó una burla.

38

Se dio cuenta de que llevaba casi una hora caminando cuando, en el cruce de la calle Aragón con la Vía Layetana, el silbido del tren le arrancó abruptamente de sus pensamientos.

No era consciente de nada.

Ni siquiera de haber cruzado tantas calles y calzadas en su camino desde Colón.

Una hora desvanecida.

Se apoyó en el muro y miró hacia abajo. Las vías brillaban en la recién aparecida penumbra de la noche. El tren que acababa de pasar haciendo sonar su silbato era de carga, no de pasajeros. De todas formas, Patro regresaba en el autobús de línea. El último furgón, el de cola, desapareció a lo lejos, en dirección al paseo de Gracia.

Estaba ya muy cerca de casa.

Pero de pronto no pudo dar un paso más.

Le mantenía en pie la inercia, sólo eso.

Sin afeitar, sucio, hambriento, agotado, machacado, con un chichón en la cabeza, toda la noche en una celda...

No se sentía igual desde los días en el Valle.

Aunque fuera otra clase de cansancio.

Se sentó en el suelo, como en Colón, y se llevó una mano a la cabeza. Ya no podía pensar en nada. Y si lo lograba, el vértigo le impedía centrarse en algo concreto; los personajes de los últimos dos días se mezclaban en una danza fantasmal y aquelárrica. Mateo, María, Pere, Esperanza, Esteve Roura, Maurici Sunyer, Enric Macià, Pascual Virgili, la señora García, la señora Luisa, Pepe, el señor Puigvert, el niño vecino de Sunyer, Policarpo, Terencio, Poncio, Lola, Carmelita, Lenin, el comisario Amador...

Casi un tercio estaban muertos.

Franco debía de estar en el tedeum, arrodillado ante Dios, sintiéndose su hijo predilecto, y los curas, a su alrededor, glorificarían su nombre y dirían que era justo, porque Dios estaba de su lado. Luego dormiría en su palacio, en una gran cama, con la conciencia tranquila.

A fin de cuentas los muertos no hablaban, y los gritos de los que estaban en las cárceles jamás salían de sus muros. Ni los disparos de los fusilamientos ni el garrote vil.

En cuanto a los vivos, sus vivos, no lo necesitaban.

El gran silencio.

¿Qué más podía pedir un hombre que tenía un país para él solito?

Sí, casi un tercio de los que formaban aquella danza estaban muertos. A tres los había visto con sus propios ojos, Poncio, Roura y Sunyer; a otros dos en sus ataúdes, Mateo y Policarpo Fernández.

Dos días inolvidables.

De vuelta a la guerra.

Un taxi se detuvo justo frente a él. En Vía Layetana. Pensó en cogerlo y darle la dirección de María.

No tuvo fuerzas.

Tampoco sabía qué historia contarle, de qué manera decirle la verdad, o parte, convirtiendo a Mateo en el héroe del que ella pudiera sentirse orgullosa.

El viejo republicano antifranquista, luchador hasta el aliento final.

—Mañana. —Suspiró.

También tenía que ver a Esperanza Sistachs.

¿A quién más le había prometido contarle algo? A la viuda de Pascual Virgili.

El taxi se alejó calle abajo.

Miró la hora. Estaba a cinco minutos de casa. Aun a su paso, cinco minutos. Tan cerca. Tan lejos para su quebrantada resistencia. Si Patro ya había llegado...

—Vamos, muévete.

Ni la imagen de Patro, ni la promesa de un beso y un abrazo, logró insuflarle las fuerzas que necesitaba.

Un suave viento arremolinó una hoja de periódico que se pegó a él. La primera y la última página de *El Mundo Deportivo* del día anterior, el que no pudo ni siquiera ojear en el bar de Ramón.

Iba a hacer una bola y arrojarla a las vías cuando vio la portada.

La foto de Franco.

El titular:

El Alcalde de Barcelona confirma la visita del Jefe del Estado.

Aquel texto:

Barceloneses: mañana, martes, alrededor de las siete y media de la tarde, desembarcará en nuestro puerto Su Excelencia el Generalísimo Franco, Jefe del Estado y Caudillo de España. No dudo que Barcelona, la ciudad de la gratitud y que de la cortesía hace un culto, recibirá a nuestro salvador con el entusiasmo del que es acreedor. No podemos olvidar aquellos días en que la seguridad personal, el respeto al derecho y las creencias habían sido pisoteados y que el Generalísimo Franco, personificación de nuestro glorioso Ejército, columna vertebral, nos devolvió la paz. Yo espero que esta querida Barcelona, perla del Mediterráneo, no dejará de aprovechar esta ocasión para demostrar sus patrióticos sentimientos, y acudirá a la Puerta de la Paz para dar la bienvenida a nuestro ejemplar Caudillo. También os invito a engalanar vuestras casas con la bandera nacional, en cuyos sacrosantos pliegues se guardan nuestros más emotivos sentimientos patrióticos. En la esperanza de que llegarán muy pronto días de felicidad y grandeza siguiendo todos unidos, os saluda al grito de ¡Viva España!, vuestro Alcalde.

Y firmaba José María de Albert, barón de Terrades.

Debajo de este texto, un simple manifiesto de bienvenida, había otro, del propio periódico, que no por ser deportivo obviaba la necesidad de estar en consonancia con la efeméride.

El texto anterior corresponde a la alocución difundida por las Emisoras de Radio Nacional, apenas pronunciadas antes de imprimir esta edición, y que el Excmo. Sr. Alcalde de esta Ciudad ha pronunciado para los barceloneses, cuales palabras EL MUNDO DEPORTIVO se congratula en recoger por cuanto constituyen la confirmación oficial de un acontecimiento de máximo relieve, la próxima visita a nuestra Ciudad de S.E. el Jefe del Estado, Generalísimo Franco.

Nuestra primera Autoridad Municipal, así como también nuestro primer ciudadano calificado, ha expresado con palabras elocuentes el sentir de los barceloneses ante la grandísima visita pero, los demás ciudadanos de nuestra Barcelona evidenciarán con hechos, al prodigar al Jefe del Estado la acogida más entusiasta y fervorosa que la realidad de la palpitación popular supera a la emoción que se traduce en aquellas palabras del Barón de Terrades.

Perdura aún aquí y en el resto del Mundo, la resonancia que produjeron las contundentes y explícitas palabras de Franco contenidas en su importante discurso del 18 de mayo, pronunciado ante las Cortes del Reino, por la amplitud y significación que, en todas sus partes, tuvo su parlamento, el cual dio lugar a una explosión de simpatía del pueblo madrileño, como adhesión sincera, al estar definida la razón y la Justicia de España frente a cierta clase de otras políticas y al ver enaltecido, en aquellas palabras, que los que poblamos estas tierras queridas nos mantenemos en ellas con la dignidad, con la valentía y con la verdad netamente española mil veces puestas de manifiesto en nuestra larga y trabajada Historia, también con sangre, sudor y lágrimas por nuestra parte, antes, ahora y siempre, pues nada nos ha sido dado y sí mucho arrebatado.

Al pueblo de Barcelona se le ofrece singular oportunidad para demostrar que la dignidad de sus sentimientos no cede con los de ninguna de las regiones hermanas y que si muy industriosa es la Ciudad Condal, el rudo y persistente laborar, con el ruido de sus máquinas, no ha embotado su fino oído, sino que siente, oye y vibra.

Coincide casi la llegada del Jefe del Estado con el final de la emocionante competición futbolística cuyo último encuentro se celebró ayer en Madrid, para atribuir la magnífica Copa del Generalísimo y en esta otra actividad de la vida española, como en tantas otras se recurre, sirve para destacar que el apoyo del Jefe del Estado hállase siempre dispuesto para prestar el relieve de su prestigioso concurso, sin que los asuntos de la alta política le impidan, en ningún momento, dejar pasar la oportunidad para alentar todas las facetas de la vida Nacional.

EL MUNDO DEPORTIVO saluda al Jefe del Estado con bienvenida cordialísima, y si en su ya larga vida periodística, ha sabido recoger las aspiraciones de los deportistas estima, hoy, como su mejor acierto ofrecerle, en nombre de éstos y por anticipado, la más cálida acogida, y téngase presente que en Barcelona, todos somos deportistas.

Dejó de leer, exhausto de nuevo.

Otra clase de cansancio, mucho más mental.

La retórica, el palabrerío, el jabón, el ensalzamiento constante, el adoctrinamiento directo y sin ambages, la sumisión, la idealización, la consagración de un hombre poco menos que elevado a los altares y convertido en leyenda nacional.

Y si esto era antes, podía imaginarse las portadas de los periódicos del día siguiente, con las fotos de su triunfal paseo por Barcelona.

Ninguna crítica.

España, la reserva espiritual de Occidente, lideraba el mundo.

Sola, pero lo lideraba.

Aislada, pero así tenía más mérito.

Españoles, con dos cojones.

Ahora sí hizo una bola con aquellas dos páginas y la echó hacia atrás.

Ningún mal duraba cien años.

—Vete a casa. —Se dio ánimos.

Total, era levantarse y caminar un poco más.

Sólo un poco más.

Lo intentó. Lo consiguió. Sintió miles de agujas en sus piernas. Agujetas de las que no saldría en días. Un paso. Otro. Dejó atrás la herida urbana, el largo segmento hundido en la calle Aragón por el que pasaban los trenes. Llegó a la calle Valencia. Tres más a su derecha y estaría en casa.

Siguió pensando en la gente.

Sí, quizá no estuvieran todos en la Puerta de la Paz, sólo una minoría. Pero los que estaban hacían ruido.

Y los que se encerraban en casa no.

No podían.

39

Cuando llegó a la esquina de Gerona con Valencia no podía más.

Miró a su alrededor, temiendo ver aparecer de nuevo a la policía, como la noche anterior, pero esta vez consiguió alcanzar el portal sin ningún problema, a salvo. Lo más seguro era que hubiesen encontrado el cuerpo de Esteve Roura, dejado muy a la vista por Terencio Fernández, y que, junto con el cadáver de Maurici Sunyer en Colón, dieran por cerrado el caso. Cerrado pese a que Roura había sido asesinado. ¿Por Sunyer? Si era lo que más les convenía, así sería. Al día siguiente ningún periódico hablaría de ello. Mutismo absoluto. ¿Un intento de asesinato? Imposible. ¿Matar al Generalísimo? Absurdo. Eso no sucedía en la muy leal Barcelona. Franco había llegado a la ciudad «entre el clamor de las multitudes» y «todo el pueblo» se volcó en las calles «abarrotadas de entusiastas fieles» rendidos a la causa. Su «salvador» volvía a estar con ellos «entre aclamaciones, vítores y lágrimas producto de una emoción indescriptible».

Conocía la jerga oficial.

Llegó al rellano y miró la puerta.

Ojalá Patro estuviera en casa.

Ojalá no.

Todavía no.

«¿Y ahora qué sientes?», se preguntó.

La respuesta era simple: nada.

Sólo aquel agotamiento absoluto y la mente en blanco.

Abrió la puerta y recibió el silencio como un bálsamo protector. La cerró y fue a la habitación de matrimonio. Lo primero, quitarse el traje de una maldita vez, y la camisa, y los calzoncillos, y los zapatos, y los calcetines.

Se quedó desnudo.

Con su imagen reflejada en el espejo de la cómoda.

Patro y él se miraban muchas veces desde la cama, y ella se reía mientras él la admiraba.

No quiso tumbarse. Sabía que se quedaría dormido en un abrir y cerrar de ojos. Necesitaba esperarla, sentir su cuerpo en el abrazo y sus labios con el beso del reencuentro. El primer reencuentro desde que vivían juntos. Quizá aún tardase, por el hecho de que la ciudad había estado patas arriba con motivo de la fiesta. Pero se conjuró aguantar. Así que lo primero fue dirigirse al lavadero para quitarse la suciedad y el sudor de aquellos dos días y refrescarse. Abrió el grifo y metió la cabeza directamente bajo el chorro. Otra vez el agua fría le hizo tiritar, como la mañana anterior al levantarse. El chichón protestó, pero no le hizo caso. Después se lavó las axilas, el pecho, luego un pie, el otro. Se secó con la toalla, vivificado, y por último se afeitó y se puso el pijama.

Llegó a la salita y se sentó en la butaca.

Un minuto.

Se levantó y fue a la ventana para mirar a la calle, por si la veía llegar.

Otro minuto.

Butaca, ventana, butaca, ventana.

Acabó en la cocina, comiendo algo, más para estar ocupado que por hambre.

Dos días.

Dos días de vértigo alucinante para algo que, oficialmente, no habría existido jamás.

Cinco hombres muertos, porque a Macià le fusilarían sin decir ni pío cualquier mañana.

Ése era el resumen de todo.

Por la mañana vería a María, y a Esperanza, y les contaría su historia. Quizá las reuniese, para que se conocieran y se hicieran amigas.

Mañana.

Iba a volver a la ventana cuando escuchó el ruido de la puerta al abrirse.

Justo en ese instante tuvo ganas de llorar.

—¡Cariño, ya estoy en casa!

Dominó la emoción. Tragó la bola de su garganta y fue a su encuentro. La vio caminar por el pasillo, guapa, preciosa, juvenil, con aquella sonrisa única que parecía iluminar el mundo, con su cuerpo flexible y lleno de vida, radiante, los brazos abiertos para recibirle, el talante ansioso.

Casi se le echó encima.

—¡Hola, amor!

Y le besó.

Le besó en la boca, largamente, con generosidad, haciéndole sentir el cielo en la tierra.

Miquel se olvidó de todo.

A veces unos segundos casi llegaban a ser eternos.

Hasta que Patro se separó unos centímetros para mirarle y, con aquella expresión tan niña y cargada de inocencia, le dijo:

—¿Qué, te has aburrido mucho sin mí? ¡Seguro que ni has salido de casa, por Dios!

Entonces sí, por primera vez en aquellos dos días, Miquel se echó a reír.

Con todas sus fuerzas.

Agradecimientos

Según la *Crónica del Siglo XX*, el día 1 de junio de 1949, durante la visita de Franco a Barcelona estallaron en la ciudad unas diez bombas.

Ningún periódico de la época lo mencionó.

Gracias por su inspiración y por hacer posible esta novela a Francisco González Ledesma y Deborah Blackman. Gracias a Virgilio Ortega por sus correcciones y su dedicación. Gracias a *La Vanguardia* y *El Mundo Deportivo*, por ser testigos de la historia y guardarla en los archivos de su hemeroteca. Gracias a todos los que respetan siempre mis «aislamientos» para que yo pueda preparar y escribir mis novelas, especialmente mi familia.

El primer paso de este libro se inició en Berlín (Alemania) en mayo de 2011, pero el guión definitivo lo desarrollé ese mismo mes en San Pedro de Majagua, Isla Grande (Colombia), y fue escrito en Vallirana (España) en julio de 2011.